親も子も
ラクになる

ゆるめる
子育て

岡崎大輔
Okazaki Daisuke

JN064578

は じ め に

「いつもイライラして怒ってばかり」
「他の子と比べて、うちの子は大丈夫なのか不安になる」
「子どもがかわいいと思えない」

　子どもには幸せになってほしい。子どもを傷つけたくない。
　だけど、子どもは親の言うことを聞かないし、何を考えている
かがわからない。誰にも相談できず、気づいたら怒ったり子ども
に厳しく接してしまったりしている。
「こんな私は子育てをする資格なんてない……」
　このように自分を責めて、自信をなくしている親からの相談が
増えています。

　親が生きづらさを抱えたまま子育てをすると、子どもに同じ生
きづらさが連鎖します。これは世代間連鎖と呼ばれています。
　**子どもは親の生き方や言動から、人との付き合い方や社会での
ルール、善悪の判断や大切にしたい価値観や信念など、この世界
でどうやって生きていくのかを吸収します。**
　親が我慢していると子どもも我慢し、親が自分を責めていると
子どもも自分を責めるようになります。その結果、あなたと同じ
苦しみを子どもが味わうことになるのです。

「子育てがしんどい」のは、間違ったルールのせいかも

　そのしんどさの根っこにあるのは、「**親や社会に植えつけられ
た間違ったルール（考え方／価値観／禁止令）**」かもしれません。

子どもの頃に、このようなことを親や周りの大人から言われたことはありませんか？

「そんなことで泣かないの」「迷惑をかけてはいけません」
「みんなと仲良くしなさい」「女の子らしくしなさい」
「わがまま言わない」……。

　親から愛されるために、親の言うことを必死で守ってきた。親からほめられるために、「いい子」になろうとがんばってきた。親に叱られないように、いつも笑って親の機嫌をとってきたという人もいるかもしれません。

　そのように親に愛されるためにがんばってきた行動習慣や心のクセが、大人になった今でも「見えない鎖」となってあなたの人生を支配しているのです。
　人は基本的に、自分が育てられたようにしか子どもを育てることができません。やめなければと思っていても同じことを繰り返してしまったり、育児書通りに子育てをしようとしてもうまくできないのは、親から引き継いだルールが原因かもしれません。

　だから、子育てがうまくいかないと感じているとしたら、あなたが悪いわけではありません。
　子どもの頃は、ルールに従わなければ生きていけませんでした。他に選択肢がなかったのです。
　しかし、**大人になったあなたは、自分でルールを選ぶことができます**。握りしめることも、手放すことも可能です。

　そのルールを守り続けることで、親子の関係はよくなりますか？　親も子も幸せになれるのでしょうか？

　そうでないのなら、それは間違ったルールです。**そんなルールは手放して、親も無理せず、子どものびのび、自分らしくいられるようなルールに変えていきましょう。**

ルールをゆるめることで 親子の「ライフスキル」が高まる

　間違ったルールをゆるめていくことで、親子の「**ライフスキル**」が育っていきます。

　ライフスキルは非認知能力とも呼ばれています。学力でも IQ でも測れない目には見えない能力のことで、ひとことで言えば、自分で自分を幸せにする力です。

　僕が主宰する学校では、留学中にコーチとして働いていた世界最大級のライフスキル教育機関であるファーストティーの哲学を取り入れて、このライフスキルを次の4つに分類しています。

❶**自分とつながる力**：自分の感情や思考、強みや弱みを理解し、自分を大事に思える能力

➡ 自己認識、自己肯定感、自己効力感（自分にはできると思える感覚）

❷**人とつながる力**：周りの人とよい関係性を築く能力

➡ コミュニケーション力、共感力、チームワーク（協働力）

❸**夢を実現する力**：自分が決めた目標を達成する能力

➡ 主体性、計画性、創造性、実行力、やり抜く力

❹**問題を解決する力**：問題やトラブルを適切に対処する能力

➡ 自制心、考える力、感情コントロール／レジリエンス

僕が子どもの頃の学校教育では、学習テストのような学力の向上に偏っていました。

しかし、2020年の教育改革において、ライフスキル（非認知能力）を伸ばす教育に大きくシフトすることに決まりました。

今後、学校でも社会でも、ライフスキルの重要性はますます高まっていくでしょう。

ライフスキルが、将来の学歴、年収、幸福度を決定する

なぜライフスキルがこれほどまでに注目されているのか。

それは、ノーベル経済学賞を受賞したシカゴ大学のジェームズ・ヘックマン教授の幼児教育の研究がきっかけです。

研究結果によれば、幼少期にライフスキルを高める教育をすることで、教育を受けていない子と比べて「進学率」「平均所得」「犯罪等の問題行動」などに大きな差が生まれました。

また、その他の研究で、「**IQを高める早期詰め込み教育は、長期的な学力向上にはつながらない**」「**ライフスキルを高めることで、学力などの認知能力も向上する**（その逆は相関性なし）」「**ライフスキルはどの年齢からでも伸ばすことができる**」「**ライフスキルが高い人ほど人生の満足度が高く、精神的にも健康な生活を送っている**」ことなどが明らかにされました。

親も子も自分らしくいられる関わり方を紹介

本書では、ライフスキルを高める「自分との向き合い方」や「子どもとの関わり方」を、「行動習慣」に落とし込んで紹介して

います。

　これまでの自分はこれまでの習慣によってつくられてきました。でも、これからの自分は、これから始める習慣によってつくられていきます。どんな習慣を選ぶかは、あなたが決めていいのです。

　これまで僕は5000人以上の親御さんと関わってきましたが、ライフスキルを高めて新しいルールを習慣化していくことで、子育てに自信をなくしていた多くの親御さんが、自分の親や他人に振り回されることなく、「こんな自分でも OK」と不完全な自分も認めて、自分らしい子育てを楽しめるようになっていきました。

　自分を責める毎日は終わりです。自分を大切にすることが子どもを幸せにします。これからは自分のために生きていいのです。

　親が自分らしく、ゆとりを持って子どもと関わることで、子どもも自分らしく生きる力を身につけていきます。

　本書を通じて、あなたの心が少しでも軽くなって、心おだやかに過ごせる家族の時間が増えれば、これ以上にうれしいことはありません。

ライフスキルコーチ **岡崎大輔**（ミスターおかっち）

• ライフスキルチェックテスト •

大人版と子ども版のライフスキルチェックテストです。
あなたとお子さんにあてはまるものはいくつありますか?

大人版

- ☑ 言いたいことが言えない（断れない）
- ☑ 嫌われるのが怖い
- ☑ ほめられても素直に喜べない
- ☑ 将来に希望が持てない
- ☑ やりたいことがわからない
- ☑ 心を許せる友人が少ない
- ☑ 親の言う通りに生きてきた
- ☑ 自分に価値があると思えない
- ☑ ありのままの自分でいいと思えない
- ☑ 毎日が楽しくない（いつも疲れている）

子ども版

- ☑ 失敗を恐れる
- ☑ 新しいことに挑戦しない
- ☑ いつも他人と比べる
- ☑「自分なんてダメ」が口グセ
- ☑ 輪の中になかなか入れない
- ☑ 授業中、手を挙げて発表できない
- ☑ 言い訳ばかりする
- ☑ 宿題をイヤイヤやる
- ☑ 特にやりたいことがない
- ☑ 何をやっても続かない

3個以上あてはまればライフスキルが低いことが考えられます。
でも、安心してください。ライフスキルは新しいルールを習慣化することや、
親の関わり方次第で、どの年齢からでも高めることができます。

CONTENTS

第 1 章 　自信がみるみる育つ関わり方

01 ▶ 子どもが甘えてきたとき 20

❌ 甘えさせてはいけない

⭕ 甘えには全部こたえる

02 ▶「なんでできないの!」と言いたくなったら 24

❌ "完璧"に育てる

⭕ その子らしさを育てる

03 ▶ 子どもがほめられたとき 28

❌ 謙遜しなくてはいけない

⭕ ほめ言葉を喜んで受け取る

04 ▶「社会で力を発揮する子になってほしい」と思ったら 32

❌ 誰かの役に立たなければいけない

⭕ 得意なこと・好きなことを伸ばせばいい

05 ▶ 子どもががんばっているとき 36

❌ 調子に乗るからほめない

⭕ 調子に乗るくらいほめる

❌ よい結果を出せたときだけほめる

⭕ 過程をほめる

第 **2** 章 やる気をどんどん引き出す関わり方

❌ 「勉強しなさい!」と叱る

⭕ 勉強の楽しさを教える

❌ 始めたことは最後までやるべき

⭕ 途中でやめてもいい

❌ 大人の言うことを聞かなければいけない

⭕ 「いい子」でなくていい

❌ 「逃げずにがんばりなさい」と伝える

⭕ 逃げ方を教える

❌ 「運動しなさい」と言う

⭕ 運動の楽しみ方を教える

第**4**章 コミュニケーションがうまくなる
関わり方

第5章 自分で考える力が身につく関わり方

第 6 章　自分から動ける子になる関わり方

第 **7** 章 ▸ 子育てがみるみるラクになる考え方

第 **1** 章

自信がみるみる育つ
関わり方

01

子どもが甘えてきたとき

✕ 甘えさせてはいけない

○ 甘えには全部こたえる

　もっと話を聞いてほしかった。
　もっと一緒に遊んでほしかった。
　もっと抱っこしてほしかった。

　子どもの頃、親にもっと甘えさせてほしかったと感じたことは
ありませんか?

「またあとでね」
「我慢しなさい」
「しっかりしなさい」

　自分のことはいつも後回しにされて、ずっと寂しい思いをして
いた。でも、「子どもを甘やかすと自立できなくなる」という親
の教えが頭から離れず、自分も親と同じように子どもに冷たく接
してしまう。どうしたらいいかわからない。
　このような相談をよく受けます。

　これは、「甘やかし」の意味を履き違えている可能性がありま
す。率直に言うと、**子どもの甘えを無視すると、子どもの自立心
は育ちません。**

■ 「甘え」と「甘やかし」の違い

　そもそも**子どもの「甘え」は、「親の愛情を確認したい」とい
うサイン**です。
「自分は大切にされている」「親に愛されている」「自分はここに
いていいのだ」ということを確認したいのです。

このような子どもの愛情確認行為をスルーしていると、子どもは「自分は愛されていないのではないか」と不安になり、「自分は誰にも必要とされていない」などと、自分のことを価値ある存在だと思えなくなります。自己肯定感が下がり、無価値感と罪悪感で頭が埋めつくされます。

子どもの教育において、**「親に愛されていることを子どもに実感させること」以上に重要なことはありません。** できる限り、子どもの「甘え」にはこたえてあげましょう。

ただ、1つ注意点があります。

子どもの「甘え」にはこたえても、決して「甘やかし」てはいけません。

「甘やかし」とは、子どもが自分でできることを親が先回りしてやってしまうことです。

親がいつも子どものために先回りして動いていると、自分が動かなくても誰かが望みを叶えてくれると思い、自分で考えて行動しない子、周りに対する感謝の気持ちを持てない子に育っていきます。

子どもの気持ちを大切にしながら 自立心を育てる方法

僕が子どもと関わる上で大切にしていることは、**「気持ちにはYES、行動にはYES or NO」**です。

「大好きなカレーライスが食べたいんだね」
「友だちと同じゲームを買ってほしいんだね」

「発表会に出たくないから習いごとをやめたいんだね」

「否定しない」「助言しない」「採点しない」。
言葉にならない気持ちを、全集中で聴く。そして、そのまま受け入れる。これが、「気持ちにはYES」です。

　ただ、その要求にこたえるかどうかはNOのときがあってもいいのです。子どもが自分でできることであれば、気持ちに共感した上で**「○○くん（ちゃん）ができるって知ってるよ。ここで見ていてあげるから、一回やってごらん」**と勇気づけてあげましょう。

　忙しかったり疲れていたりして、その場で対応できないこともあると思います。そんなときには、できない理由を伝えて「NO」を示すことも大事です。
　子どもが求めた通りに動くことが親の役目ではありません。親は子どもの言いなりじゃない。そして、子どもも親のロボットじゃない。
「甘え」と「甘やかし」をしっかり区別して、子どもの気持ちはまるごと肯定して受け入れた上で、自分でできることは子どもにやらせてあげましょう。

POINT

子どもの気持ちにはYES！

「なんでできないの!」と言いたくなったら

✕

"完璧"に育てる

だって...

なんでできないの!

○

その子らしさを育てる

のびのび

　あなたは家事も育児も仕事も、すべて完璧でなければいけないと思っていませんか？

　皮肉なことに、あなたが完璧にしようとすればするほど、子どもは息苦しくなってしまいます。

　よい成績を取れたときや、親の言うことを聞いたときだけほめられる。時間通りに動かなかったり期待していた成果が出なかったりすると、「なんであなたはできないの？」「何回言ったらわかるの！」「お兄ちゃんはできたのに……」と厳しく叱られる。もしくは、何も言わずに悲しい顔をされる。

　そのような経験をすると、子どもの心はどうなっていくでしょうか？

　親の言うことを聞かないと見捨てられるかもしれない。よい点数を取らないと、嫌われてしまうかもしれない。

　完璧にできると思えるまで、新しいことに取り組めない。失敗してはいけない、間違ってはいけない。そのような焦りや不安を抱えてしまうかもしれません。

■ その子らしさを大切にする

　基本的に**子どもは、誰かに評価を押しつけられることなく、自分で考えて選び、自分の個性を尊重されたときに、最大限に力を発揮します**。社会で生き抜く力を身につけていくのです。

　子どもの根っこを引っこ抜き、「こんなふうに育ちなさい」と叫んでも、その子らしい花は咲きません。

何事も完璧にやらないと気がすまない考え方があなた自身も苦しめているのであれば、少しその考えをゆるめることも大切です。

具体的な方法としては、**目的を言語化すること**です。

手段に集中するあまり本来の目的を見失い、手段が目的化してしまうことがあります。

子どもを幸せにするためにがんばっているのに、いつのまにか自分も子どもも苦しめてしまうことに。これでは本末転倒です。

目的を達成するための手段が適切であるかどうかを点検してみましょう。目的を意識して、目の前にいる子どもと向き合うことで、イライラすることも叱る回数も減ってくるでしょう。

本来の目的と手段を明確にする3ステップ

次の3ステップで目的と手段を考えます。

① 子どもを注意する・叱る前に、「何のために？」と頭の中で自分に問いかける

②①で明確になった目的を達成するために最適な手段を考える

③ できることから実行してみる

具体例を紹介します。

《宿題をしようとしない子どもに、「勉強しなさい！」と言いたくなったとき》

問いかけ：「そもそも、何のために勉強させるの？」

目的：子どもがやりたいことを見つけて、それを叶える知識や能力を得るため。

手段：「勉強しなさい」と急かすのではなく、子どもがやりたい

ことを見つけられる環境をつくる。子どもが自然に勉強したくなるような工夫をする。

《朝なかなか起きない子どもに、イライラしたとき》
問いかけ：「何のために時間通りに起こすの？」
目的：子どもに規則正しい生活習慣を身につけてもらうため。
手段：一時的に親が起こすのをやめ、生活習慣が乱れたらどんなふうに困るかを自分自身で体験してもらう。

　子どもを叱るときの声かけのコツとしては、「**サンドイッチフィードバック**」がオススメです。
　食後の片づけを自分でしてほしいと思ったら、こう言いかえてみましょう。
→「**いつもごはんをおいしそうに食べてくれてうれしいよ。仕事の用意があるから、自分が使ったお皿は自分で片づけてくれたら助かるな。うまくできなくてもいいから、この前教えた通りにやってみて**」

　このように、「**子どもを承認するメッセージ**」→「**提案する行動**」→「**勇気づけ**」という形で、サンドイッチのように伝えたいことをほめ言葉で挟むと、子どものやる気や自信を損なわずにメッセージを伝えられます。

POINT

本来の目的を明確にする！

03

子どもがほめられたとき

✕ 謙遜しなくてはいけない

しゅん…

いえいえ、うちの子なんて…

○ ほめ言葉を喜んで受け取る

そう言ってもらえてうれしいです

「そんなことないですよ。外面がいいだけです。家ではいつもゴロゴロしてゲームばっかり。片づけもしないし、ほんとに困ってるんですよ」

　その子のよかったところを親御さんに伝えたら、このような言葉が返ってきました。その子はなんとも言えない顔で下を向いていました。
　よくある光景です。自分や身内のことを人前でほめてはいけない。このような日本社会の悪しき習慣が、僕は本当に苦手です。

　わざわざ子どもを下げて受け答えする背景には、このような気持ちがあるのではないでしょうか？

　親バカだと思われたくない。
　ほめられて調子に乗っていると思われたくない。
　ママ友との関係を悪くしたくない。

　しかし、ほめ言葉を伝えた側からしてみると、喜んでもらえると思って用意したプレゼントに、泥をつけて突き返されるようなものです。「あなたの感覚はおかしい！」と言われたような感じです。ほめ言葉を受け取らない方が、相手に失礼になる可能性もあるのです。

　さらに、それを聞いた子どもは、どのように親のメッセージを受け取るでしょうか。
「家ではほめてくれるのに、心の中ではそんなことを思っているんだ。ぼく（わたし）はダメな子なんだ」と、親の言うことを信

じられなくなるかもしれません。このような大人の何気ないひとことで子どもは傷つき、自分に自信が持てなくなるのです。

ほめてくれた相手と子どもの　どちらも尊重する受け答え

「人前で子どもをほめてはいけない」という思い込みは、誰のことも幸せにしません。

大好きな子どものことを誰かにほめてもらえて、うれしい気持ちになって当然です。それを素直に表現しても誰も傷つけることはありません。

「そのように言ってもらえて、うれしいです」

これでいいのです。**相手からの言葉をまっすぐ受け取り、自分の気持ちを伝える。**

この言い回しで劣等感を持って不快に思うような人とは、少し距離を置いて付き合った方がいいかもしれません。ドリームキラー（夢を壊す人）として、これからもあなたの足を引っ張り続けるでしょう。

ほめ言葉は再々利用する！

さらに子どもの自信を高める効果的な方法に、「かぶせボメ」というものがあります。

誰かに子どものことをほめてもらったら、「先生が、最近きちんとあいさつできるようになったってほめてたよ〜。ママ（パパ）も〇〇くん（ちゃん）があいさつできるようになってうれし

いよ」と、**子どもの目を見ながら、自分のほめ言葉も付け加えて伝えます。**

　その場にいなかった夫（妻）にも、「今日のバスケの試合で、よく周りを見てプレーできるようになったってコーチにほめられたんだよ！」などと、**子どもがほめられたエピソードを子どもの前で話してあげると、子どものセルフイメージ（自己評価）はどんどん高まっていきます。**

　そうすれば、親が見ていないところでも、親や先生から教わったことを実行するようになるでしょう。親が注目している行動が、どんどん子どもの生活の中で強化されていくのです。

　子どものよい行動を見つけてどんどんほめてあげた方が、イライラして叱る機会も少なくなり、子どもとの関係もよくなっていきます。

　ほめられた際に子どものことを下げなくても、自分の本当の気持ちを表現し、相手を大切にする方法はあります。人前で子どものことをほめてもいいのです。

　子どもは親の言葉通りに育っていきます。

　相手からのほめ言葉を素直に受け取り、子どもが自分に対してプラスのイメージを持てるような声かけを日頃から意識していきましょう。

POINT

ほめ言葉を子どもと一緒に喜ぶ！

「社会で力を発揮する子に なってほしい」と思ったら

✕

誰かの役に 立たなければいけない

⭕

得意なこと・好きなことを 伸ばせばいい

誰かの役に立てなければ価値がないと思っていませんか？
僕は30歳まで、ずっとそう感じて生きてきました。

誰かの役に立たなければいけない。この感覚の根っこにあるのは、幼少期の親との関係や学校生活での人間関係の影響です。

親や先生の期待にこたえたときだけほめてもらえた、喜んでもらえた。周りの役に立てなかったときに、叱られたりガッカリされたりした。試合で活躍しているレギュラーメンバーが、監督やチームメートから優遇された。

このような経験をすると、「役に立てない ＝ 価値がない」という方程式が頭の中に刷り込まれていきます。誰かの役に立てなければ価値がないのではないかという罪悪感に襲われ、自分のことを後回しにしてでも、他人に認めてもらえたり、感謝されたりする行動に走ってしまうのです。

人の役に立つことは、素晴らしいことです。誰かに認められたい、ほめられたいという欲求も、人として自然な感情です。
ただ、「誰かに満たしてもらえないと生きていけない」という考え方では、お互いに依存してしまい（共依存関係）、自立できません。

誰かの役に立っていなくても、大切な存在に変わりない

子どもにも「誰かの役に立たなければいけない」という縛りを課していませんか？

家族や仕事のために、常に自分を押し殺して生きている親の姿を見ていると、自分の欲求を主張してはいけない、自分を優先してはいけない。そのままの自分では不十分、という考え方が身についてしまいます。

　学校でも社会でも嫌われることを恐れ、自分の幸せを捨てて周りを幸せにするために生きるようになるのです。

　そうすると、本音で人と関われず、家の外で自分が安心できる居場所をつくれません。そのような背景があって、就職してから突然引きこもりになってしまう人も増えています。

　それでは、どのように関わればいいのでしょうか？

　具体的に言えば、**大人の期待にこたえたときにだけほめるのではなく、子どもがやりたいことをしているときにも、「〇〇をしているとき、イキイキしているね」と声をかけます。**

　期待していた結果が出なかったときや失敗したときにも、「うまくいかなくて悲しいのかな。何かできることがあったら声をかけてね」と、**そのままの子どもの感情を認める**ことが大切です。

　あなたが感じたことはどんな感情でも素晴らしい。あなたが生きているだけで私は本当にうれしい。そのような、**子どもの存在を無条件に肯定する言葉を伝えてあげましょう。**

自分が得意なこと・好きなことで人の役に立てたらいい

　社会に出て、価値を生み出すことは大切なことですが、何でもかんでも周りが求めることにこたえる必要はなく、**自分が得意なことで役に立てればいい**と僕は考えています。

だからこそ、子どもの得意なことを伸ばしてあげたいし、好きなことを見つけてあげたい。

大人が子どもに求めていることを指示するだけではなく、子どもが心の底から何かを求める声に耳をすませることも大切です。「あなたはどうしたいの？　何がやりたいの？　どう思った？　どんな気持ち？」と問いかけられることで、子どもの内側にアンテナが立ち、自分が求めていることが自分でわかるようになっていきます。

自分はどんなことが好きで、どんなことがやりたくて、どんな生き方をしたいのか。
自分の中にある好奇心やワクワクを感じてみる。感じたことを「どうやったらできるだろう」と考えて、実際に行動してみる。
この「感じる→考える→行動する」というプロセスの中で、子ども自身が大切にしたい価値観や好きなことが見つかり、自分軸ができていきます。
自分が納得できる生き方が見つかれば、他人に振り回されず、社会で自分の力を発揮して自分らしく生きていけるのです。

POINT

**好きなことを楽しむ子どもに
「いいね！」と伝える！**

05

子どもががんばっているとき

✕ 調子に乗るからほめない

このくらいで
満足しちゃダメ✕

◯ 調子に乗るくらいほめる

えへ…

すごすぎる～
よくがんばったね！

あなたはがんばっている子どもを、ほめていますか？

「調子に乗らないで」
「たまたま勝てたのよ」
「なんでここ間違えたの？」

テストでよい点数を取っても、ピアノが上手に弾けても、スポーツで表彰されても、できていないことばかりが気になって子どもに優しくできない。うまくほめることができない。

そのような相談を受けることがあります。この背景には、どのような心理があるのでしょうか。

1つは、ほめ方がわからないケース。

子どもの頃、どれだけ努力してもダメなところばかり注意されて、親から認めてもらえなかった。だから、ほめた方がいいなと思える場面でも、どのように声をかけたらいいかがわからないのです。

もう1つは、ほめると子どもが満足してしまって努力しなくなるのではという恐れです。

何をするにしても「現状に満足してはいけない」という考えから、子どもがよい結果を出しても、「このくらいでいい気にならないで」と厳しく接してしまうのです。

子どもに向上心を持ってほしいという気持ちもわかりますが、このやり方では子どもの心に「自信を持ってはいけない」というマインドが植えつけられます。

どれだけうまくいっても「このままでいいのかな」と不安がつ

きまとい、心が満たされない。休んでいても誰かに追い抜かれるのではとビクビクして、心が安らがない。そのような状態では、楽しかったことも楽しくなくなってきて、何をやっても続かなくなってしまいます。

■ 子どもが物事を続けたくなる声かけとは？

何事も成長するためには続けることが大切です。たとえ小さなアクションでも、続けることでスキルが向上し、上達していくのです。

そして、**続けるためには、努力することの楽しさや成功したときの喜びを味わうことが欠かせません。**

できなかったことができるようになった。仲間と力を合わせて勝つことができた。親に「がんばったね！　すごいね！」と喜んでもらえた。

そのような経験をすることで、心の底から「努力してよかった」という達成感を味わえます。その感覚を味わってしまえば、もうやめられません。親がハッパをかけなくても、自ら次の目標に向かって動き出すのです。

反対に、**子どもがしていることに口出しをしたり、努力していることに無関心で結果ばかり求めたりしていると、子どもは続けることが苦痛になります。** 新しいことを覚えても、100点を取っても、喜びを味わえません。やりたいことに挑戦しようという意欲も、「自分ならできる」という自信も育たないのです。

　子どものがんばりを認めてしまうと、天狗になってしまって練習しなくなるのではないか。自信ばかりが大きくなって実力が伴っていないと、失敗したときに挫けてしまって立ち上がれないのではないか。そのように心配する気持ちもわかります。

　しかし、**成長するためには続けることが必要で、続けるためには成長していくことへの喜びや達成感を子どもに体験させて、自信をつけさせてあげることが大切なのです。**

「ほら、ちゃんと勉強しないから不合格になったのよ！」と責めるのではなく、「新しい漢字を5つ覚えられたね！」と**子どもができるようになったことを子どもと同じテンションで喜びましょう。子どもが成長していく喜びを子どもと一緒に味わう**のです。

　調子に乗らせていいじゃないですか。自信を持たせてもいいじゃないですか。

　あなたが子どもを認めてあげることで、子どもも自分を認められるようになります。あなたが子どもを信じてあげることで、子どもも自分を信じられるようになり、自分が決めたことを最後までやり抜けるようになるのです。

　親が見ていなくても子どもが自ら動いてくれるようになると、子育てもずっとラクになります。

　子どもが調子に乗るくらい、ほめていきましょう。

POINT

できた喜びを
子どもと一緒に味わう！

06

子どもを伸ばすほめ方

✕ よい結果を出せたときだけ ほめる

◯ 過程をほめる

「合格しなさい」「一番になりなさい」「100点を取りなさい」。

幼少期に勉強でも習いごとでも、よい成績を取ることを求められていた。負けたら怒られる。認めてもらえない。結果がすべて。

そのような環境で育つと、自分の子どもにも同じことを求めてしまいがちです。

心理学では、**アンダーマイニング効果**と呼ばれていますが、周りから結果を強く求められると、やらなければとプレッシャーを感じてしまい、やってみたいという楽しさがなくなっていきます。**周りからの賞賛や承認を得るために行動していると、内側から湧いてくる興味や好奇心が失われていく**のです。

そして、これが一番大きな問題ですが、「結果 = 自分の存在価値」となると、間違うことを恐れてしまい、挑戦できなくなります。

コントロールできる部分をほめる

結果は、自分ではコントロールできないものです。どれだけシュートが入るようになっても、漢字をたくさん覚えても、負けることはあるし不合格になることもあります。

自分の力ではどうしようもないことを考えていると、エネルギーが分散して、本来やるべきことに力が注げません。

オリンピック選手が共通して勝つために大事にしているのは、勝つことを忘れること。自分がコントロールできることに100%集中して、自己ベストを出すことを意識しているのです。

子どもに結果を求めすぎることで、子どもが本来のパフォーマンスを発揮できなくなってしまうと元も子もありません。

　そして、たとえ思うような成果が出なかったとしても、努力して身につけたことが消えるわけではありません。

　子どもの自己肯定感や挑戦する意欲を高めて最高のパフォーマンスを発揮させるためにも、**子ども自身でコントロールできる「過程」や「行動」に目を向けた関わりが大切です。**

　子どもと関わる上でオススメなのは、**「結果」と「行動」と「存在」のバランスを意識した声かけ**をすることです。あなたは、日頃どのような割合で子どもに声をかけていますか?

【結果:数字やテストで測れる実績への承認】
「一番になってすごいね」「100点を取れてよかったね」「コンクールの入賞おめでとう」

【行動:結果を出すための準備やプロセスへの承認】
「今日も朝早く起きられたね」「毎日練習しているから勝てたんだよ」「前の試合よりもシュートが2本多く入ったね」

【存在:生きていることへの承認】
「あなたがいると元気が出るわ」「生まれてくれてありがとう」「(子どもをハグして)充電中〜!　ありがとう!　あなたのおかげで今日も1日がんばれそうよ」

　子どもによって多少変わりますが、僕は結果3:行動4:存在3くらいの割合で声かけをしています。小さな変化を見逃さず

「今日は目がキラキラしてるね」「シューズを見たらあなたのがんばりがわかるよ」と勇気づけたり、「○○とバスケができて最高に楽しいよ。僕の顔を見て。ほんまに幸せそうでしょ」と子どもへの感謝や肯定的な気持ちを少しおおげさなくらい伝えるようにしています。

子どものいいところを見つけられない、ほめ方のバリエーションがないという方には、**子どものいいところを毎日３つノートに書く**ことをオススメします。あらかじめほめるポイントが言語化されていれば、子どもへの声かけがしやすくなります。

家族全員が見える場所に模造紙を貼って、子どもが「できるようになったこと」を付せんでペタペタ貼るというご家庭もありました。５つたまったらお祝いに家族全員で回転寿司を食べに行くといったゲーム方式にしているそうです。

自分ができたことを家族に喜んでもらえると、子どももうれしい気持ちになりますし、自分の成長が見える化されることで達成感も高まり、「もっとがんばろう！」と次の行動につながります。

POINT

毎日子どもにいいところを
３つ伝えよう！

第 **2** 章

やる気をどんどん
引き出す関わり方

07

なかなか勉強を
したがらない子どもに

✕

「勉強しなさい！」と叱る

え〜っ

いいかげん
勉強しなさい！

〇

勉強の楽しさを教える

え〜！

本物の新幹線を
見に行って
みようか！

「勉強しないと大人になってから大変な思いをするよ！」

「ゲームばっかりしてないで勉強しなさい！」

そして、テストの点数が悪い教科があれば、塾に通わせて勉強させる。

こういった、子どものためによかれと思ってやっていることが勉強ギライな子を育てることにつながっているかもしれません。

■ 非認知能力を高めることが大切

学力や専門的な知識も社会で生きていくためには重要ですが、学力がどれだけ高くても、非認知能力が身についていないと幸せにはなれません。

非認知能力とは、学校のテストでは測れない、目には見えない能力です。「**自分とつながる力**（自己肯定感）」「**人とつながる力**（コミュニケーション力）」「**夢を実現する力**（目標達成力）」「**問題を解決する力**（感情コントロール力／思考力）」などが挙げられます。

ノーベル経済学賞を受賞したジェームズ・ヘックマン教授の研究によると、IQ を高める早期詰め込み教育は、長期的な学力向上にはつながらないこと、**非認知能力を高めることで学力などの認知能力も高まる**こと、**非認知能力が高い人ほど、人生の満足度が高い**ことなどがわかっています。

勉強に苦手意識を持たせないために、早いうちに学力を高めてあげたいという気持ちもわかります。でも、非認知能力を高めた方が、長い目で見ると学力が高まるのです。

ついつい目に見える学力や結果、子どもの問題行動に目が行き

がちですが、それだけを見ていては子どもの興味や関心が見えてきません。やりたくない勉強を押しつけられれば、子どものやってみたいという好奇心は消えてしまいます。

勉強の楽しさを教える関わり方

　子どもの非認知能力を高めるためには、**目に見えない子どもの心の声を聴く**ことが大切です。**子どもの気持ちを聴いて、子どもに決めさせてあげる、選ばせてあげる**のです。

　親の期待にこたえるため、叱られないためにする勉強は楽しくありません。勉強がイヤになると、受験に合格した途端に勉強することをやめてしまいます。
　特に10歳までは、テストの点数以上に子どもの興味や好奇心に寄り添って、学ぶことの楽しさを教えてあげましょう。勉強ができる子ではなく、勉強が好きな子を育てる感覚です。
　そのために、次の3つのポイントを意識して関わりましょう。

① 子どもが興味を持ったことを掘り下げる
　「英語を学んでおけば将来役に立つ」など、**大人目線で子どもが学ぶことを選ぶのではなく、子どもが関心を持ったことを出発点に学びを進めていきましょう。**
　たとえば、テレビを観ているときに子どもが新幹線に反応していたなら、「今度の土曜日に新幹線を見に行く？」と誘ってみたり、料理に興味を持てば、何か役割を与えて一緒に作ってみてもいいでしょう。料理教室の体験に行ってみるのもありですね。
　興味を持ったことを掘り下げることをすべて「勉強」ととらえ

て、子どもの目がキラッと輝く瞬間を観察しましょう。

② できるだけ競争環境を排除する

　好きで始めたことでも、自分よりうまい人を見て自信をなくすことや、試合で負けて嫌いになってしまうこともあります。ただ楽しいからやっていただけなのに、「○○ちゃんより上手ね」と比べられることで、やる気がなくなることもあります。

　ですから、競争そのものが好きな子や競争することを自分で選んだ子は除き、特に最初は、**誰かと比べたり競い合うようなことは避けましょう**。

　また、**求められるまでアドバイスや口出しをせずに優しく見守る**ことも大切です。

③ 子どもが心地よく学べるスタイルを尊重する

　自分に合わない学習方法を押しつけられて勉強が嫌いになるケースも多いです。本を読んで学ぶ方が集中できる子もいれば、動画を観て学ぶのが好きな子もいます。体を動かして実際に触れてみることで学校で習ったことが記憶に残る子も。

　机の前に座って学校から与えられるドリルを埋めるだけが勉強ではありません。**リラックスして学べる環境を子どもに選ばせてあげましょう**。

POINT

子どもの目が輝いている
瞬間をキャッチする!

08

始めたことを「やめたい」と言う子どもに

✕

始めたことは最後までやるべき

やりたいって言ったんだから最後までやりなさい！

でも…

◯

途中でやめてもいい

じゃあ次の大会までがんばってみるのはどう？

わかった！

「あなたがやりたいって言ったんでしょ」
「途中でやめたら何をやっても続かなくなるよ」
「みんなもがんばってるんだから、わがまま言わないで」

　子どもが何かをやめたいと言い出したときに、このように言ったことはありませんか?
　どんな選択をしてもそこには必ずメリットとデメリットがあります。**途中でやめることを許さないことで、子どもがトラウマを抱えてしまうこともある**のです。

　本当に、始めたことを途中でやめてはいけないのでしょうか?

　居場所がないと感じながら成功体験が積めない環境で過ごしていると、自己否定感が強くなり、物事を最後までやり抜く力が奪われていきます。
　やめたら親をガッカリさせてしまい、もう愛してもらえない。そんな不安を抱えていると、やりたいことでもなかなか一歩を踏み出せません。失敗を恐れ、絶対にうまくいくと確信できるまで行動できないのです。

「やってみて、やめる」ことも大切

　1つのことをやり通すことも、自分が決めたことをやり抜くことも大切です。
　しかし、**様々なことを体験する中で自分が本当にやりたいことを見つけたり、いろいろな能力を幅広く身につけることも大事**ではないでしょうか。

途中で「やりたいことではなかった」と気づいたのであれば、早い段階で見切りをつけて違うことをやってみるという判断力も重要です。

変化の激しいこの時代で生き抜くには、とにかく動いてみて周りの状況を観察し、計画や前例に縛られることなく、環境に合わせて変化していくことが求められます。

朝令暮改（朝に言っていたことが夕方に変わっている）というのは、一種の進歩なんだ。

これは、ソニー創業者の盛田昭夫さんの言葉です。
「トランジスタラジオ」「ウォークマン」などを世界に売り込み、ソニーを世界企業に育て上げた盛田さんは、「自分が正しいと思ったら、どんどんやること」と「組織として決まったことでも、変わることを恐れないこと」を社員に言い聞かせていたそうです。

「一度決めたことは変えてはいけない」「やり始めたことを途中でやめてはいけない」と子どもを縛ってしまうと、「やりたい」という気持ちが湧いてきても重いブレーキがかかり、気軽に前に踏み出せなくなります。

▶ やめるときのルールを決める

もちろん、お金がかかる習いごとや、親の都合もあるので、子どもがやりたいことをすべて叶えることはできません。すぐにやめてしまうとお金がもったいないという気持ちもわかります。

ですので、**やり始めるときに子どもと約束をしたり、「やめた**

い」と言われたときにやめる時期を一緒に考えたりするのがオススメです。

「ピアノを買ってほしい気持ちはわかるけど、高い買い物だからピアノの練習をすぐにやめちゃうともったいないと思う気持ちもわかってほしい。もし 2 年間はがんばると約束できるなら買ってもいいけど、どうする?」

「ピッチャーがつまらなくなったから野球をやめたいんだね。もしかしたら他のポジションをやってみると気持ちが変わるかもしれないよ。一度ポジションを変えてみて、3 ヶ月後の大会までがんばってみるのはどうかな?」

　やめてもいいと思えるから、新しいことに挑戦できるのです。大丈夫。**子どもが自分で選んで自分で決めたことは、たとえどんな結果が出ても、子どもの「生きる糧」になります。**
　朝令暮改、今の時代に合わせて表現すれば、臨機応変です。
「やめてはいけない!」と縛るのではなく、失敗してもうまくいかなくても、「あなたの味方だよ」と伝えて、**安心して挑戦できる環境を整える**ことが、親のできることではないでしょうか。

POINT

やめてもいいと思えるから
挑戦できる!

09

言うことを聞かない子どもに

✕

大人の言うことを
聞かなければいけない

きちんとして！
言うことを
聞きなさい！

◯

「いい子」でなくていい

わかった…

集中したい人が
困るから
ここでは
静かにしようね

「しっかりしなさい」「ちゃんとしなさい」「きちんとしなさい」。

　子どもの頃は、どこに行っても叱られ、「大人の言うことを聞けないぼくはダメな子なんだ」と思っていました。

　子どもの頃を思い出すだけで、いまだに胸がしめつけられます。あなたは、子どもに「いい子」でいることを求めていませんか？

「いい子症候群」にならないために

「先生の言うことをきちんと聞きなさい！」
「周りの人をイヤな気持ちにさせてはいけません！」
「ふざけてばかりいないで真面目にやりなさい！」

　このように親の理想や価値観を一方的に主張していると、子どもが「**いい子症候群**」になる危険性があります。

　いい子症候群とは、大人が求める「いい子」になろうとして、本音を隠すことです。親から愛してもらうために、親の望み通りに行動し、周りの大人にほめられるために、自分がやりたくないことでも率先してやります。

　大人からすると、素直で、成績も優秀で、問題も起こさない、まさしく手のかからない「いい子」。言いつけをしっかり守ってくれるのでとても育てやすいでしょう。

　しかし、このように自分の気持ちを隠したり言いたいことを我慢していると、大人になっても「断れない（NOが言えない）」「自分で決められない」「周りの評価ばかり気にする」ようになり、生きづらさを抱えてしまいます。

　我慢できなくなってキレて周りの人に暴力を振るったり、親の

目が届かないところで問題行動を起こしたり、うつ病や引きこもりに発展するケースも多いようです。

だから、**子どもを自立させるためには、「いい子症候群」にならないような関わり方が大切です。**

しっかりしなければいけないのは誰のため？

「しっかりしなさい！」という言葉を考えてみましょう。

誰かに言われてしっかりする子は、誰かに言われないとしっかりできない子になります。

また、周りから見て「しっかりしている」という枠からはみ出るのは、その子にしかない個性です。自分らしさであり、才能であり、人に愛される魅力です。

大人の「こうあるべき」にはめこんでガチガチに縛るのではなく、人との違いを尊重しつつ、心にゆとりを持って失敗を許し合える環境をつくることが大切です。

「周りの親の目が気になる」「恥ずかしいことをしてほしくない」など、本当は親である自分のためなのに、「あなたのためよ」というスタンスで子どもを叱っていることもあります。そうすると、子どもは「ぼく（わたし）のためじゃなくて、周りの人が気になるからでしょ」と親に不信感を持ち、よい関係を築けません。

ですので、子どもに「しっかりしてほしい」と感じたときには、「誰のために？」と自分に問いかけてみてください。それだけでも「しっかりさせなければ」という考えがゆるむでしょう。

　そして、自分のために子どもを注意するのであれば、「ここではしゃぎたい気持ちもわかるけど、たくさんの人がいる前で目立つと私が恥ずかしいから、少し静かにしてもらえるとうれしいなぁ」と**自分を主語にして気持ちを正直に伝えましょう。**

　周囲のために注意する場合は、理由を具体的に伝えます。

　愛する我が子を、一人前に育てなければいけないと思う気持ちもわかります。

　しかし、**子どもの才能は、ゆとりのある環境でしか伸びません。**大人がきつく縛るほど、子どもの個性は潰れていきます。

　「丸くなるな、星になれ」というサッポロビールのキャッチコピーがあります。丸くなるのは悪いことではありませんが、周りに合わせて尖っている部分を削ってしまうのではなく、それを伸ばそうという意味です。

　子どもの個性についても、その子らしさを尊重した関わりをすることで、子どもは星のように自分らしく輝きはじめるのです。

　親が間違ってもいいし、疲れたら休んでもいい。できない自分を子どもに見せてもいい。

　しっかりできない自分も、許してあげましょう。あなた自身の「しっかりしなければ」という縛りがゆるめば、子どもも背伸びせずに安心して自分の気持ちを表現できるようになるでしょう。

POINT

大人の「こうあるべき」にはめこんで叱らない！

10

壁にぶつかっている子に

✕

「逃げずにがんばりなさい」と伝える

無理だもん…

すぐあきらめちゃダメ！

◯

逃げ方を教える

うん…

つらくなったときは休んでもいいんだよ

「あきらめてはいけない！」「投げ出してはいけない！」「できないのはがんばりが足りないから。もっとがんばれ！」

　などと、子どもに逃げてはいけないというメッセージを伝えていませんか？　どんなに苦しいことでも向き合って戦うように教えていないでしょうか。

逃げられる環境を用意することも大事

「逃げるは恥だが役に立つ」は、2016年に大ヒットしたドラマのタイトルですが、もともとはハンガリーのことわざで、「逃げることも選択肢に入れて、自分の戦う場所を選べ」という意味だそうです。たとえ、それが周りから見て笑われるような逃げ方だったとしても、生き抜くことの方が大事だということ。逃げることは、恥でも何でもありません。

　子どもに逃げ場を用意してあげることは、心の安全基地をつくることになり、自己肯定感を高める上で重要です。
　やりたくない気持ち、言いたくない気持ち、投げ出したい気持ち、サボりたい気持ち、これらは全部大切な子どもの気持ちです。**どんな感情でも受け入れてもらえるという安心感があるから、「どんな自分でも大丈夫！」と思える感覚が育っていきます。**
　子どもが自分の気持ちを伝えてきたときには、「〇〇と思ったんだね」「うまくいかないとイヤな気持ちもわかるよ」などと**受容＋共感の声かけ**をすることが大切です。

　ただ、何でもかんでも逃げることを許していては、子どもの成長につながらず、逃げグセがついてしまいます。そもそも**成長と**

いうものは、「新しいことに挑戦する」「新しい場所に行ってみる」「新しい人と遊ぶ」など、子どもがいつもよりも少し不快に感じる領域（グロースゾーン）にあるので、ストレスや苦痛を乗り越える力も身につけてほしい能力の1つです。

　ですから、「新しいことだから失敗して当然だよ」などと勇気づけ、行動を応援するスタンスも大事です。

「グロースゾーン」と「パニックゾーン」を見極めて伸ばす

　子どもの能力と心の状態を観察して、今、子どもが向き合っている課題が、子どもを成長させる「グロースゾーン」なのか、自信を奪う「パニックゾーン」なのかを見極めることが肝心です。

　パニックゾーンに入ってしまうと、「自分は何をやってもダメだ」「もうあんな苦しい思いをしたくない」と傷つくことを恐れ、自分から新しい挑戦をしなくなります。それでは、生きる力が育ちません。

＜パニックゾーンに入っているサイン＞
・目が泳いでいて感情があふれ出している
・言葉がまとまっておらず冷静に考えられていない
・無気力になって力を失っている
・自分を責めたり「どうせ無理」と自己否定したりしている
・頭痛、不眠、だるさがあるなど、体調に影響している

　これらのサインがあれば、子どもの心と体に負荷がかかりすぎているかもしれません。この場合は積極的に介入して「つらいんだったら、無理をしなくてもいいよ」と声をかけ、やめる選択肢

も含め、休みを取る、難易度を下げる、量を減らすなどの提案をしてみましょう。

　子どもが何か新しいことや少し難しいことにチャレンジしていて、パニックゾーンに入っている様子がない場合は、子どもの主体性や考える力を伸ばす絶好の機会なので、**逃げることも選択肢として与えながら、あたたかく見守ってあげましょう。**

　ただ、逃げていいかを自分で判断できないことも多いので、**「自分が決めたことをやり通すことは大事だけど、緊張してパニックになったり、頭が真っ白になってどうしたらいいかわからないことがあったら、いつでも相談してね」**と日頃から伝えておくと、子どもも安心します。

　「その先にワクワクはある？」

　極端かもしれませんが、この答えがノーであれば、逃げてもいいと僕は考えています。逃げるが勝ちです。

　がんばった先に希望がないことをやり続けていると、やる気や主体性、生きていく活力がなくなります。見えている世界が白黒になり、子どもから表情が消えて、無気力になっていくのです。

　すべての問題に向き合う必要はありません。世界は広い。子どもが輝ける場所は他にもあるはずです。**逃げてもいいし、戦う場所を自分で選んでもいいのです。**

POINT

逃げるという選択肢を与える！

11

運動をしない子どもに

✕

「運動しなさい」と言う

えーっ

たまには外で遊んできなさい！

◯

運動の楽しみ方を教える

一緒にやらない？

「運動ができるようにならないとダメ」
「家で遊ぶよりも外で体を動かすべき」

そのように考えていませんか?
確かに運動は大切ですが、プレッシャーを与えるとスポーツが嫌いになったり、自分を否定したりするようになります。

「明るく元気で活発な子に育ってほしい」
「スポーツが得意になってほしい」
「家でゲームばかりしている子どもに、スポーツをやらせてみたものの、まったく興味を示さない」
「どうしたら運動を好きになってくれるのでしょうか?」
このような相談を受けることがあります。

健康的で活発な子を見るとうらやましく思ったり、うちの子は大丈夫なのかと心配になったりすることもあるでしょう。スポーツに限らず、子どもの苦手なことを克服させてあげたいと思うのも、親として当然です。
しかし、イヤイヤやらせても子どものやる気は生まれません。**他の子と比べてうまくできないという無力感がつのったり、スポーツをする中で「ちゃんとパスしろよ!」などと周りから責められたりして、自己肯定感が下がってしまうこともあります。**

スポーツは諸刃の剣です。確かにスポーツは体力維持だけではなく、ストレス解消、認知機能や社会性の向上など、様々なメリットがあります。
一方で、競争環境の中でいつも人と比べられて自信をなくした

り、ミスすることを恐れるあまり、新しいことに挑戦する勇気が挫かれたりすることもあるのです。

子どものときにスポーツや運動が嫌いになると、健康面や社会生活など人生の QOL（満足度／幸福度）に大きく影響します。

子どもを運動ギライにしないためには

運動の楽しさを子どもに知ってもらうために最も大切なことは、「スポーツへの苦手意識を持たせないこと」と「自己肯定感を高めること」の２つです。

僕が運営しているスポーツ教室では、親御さんに次の７つのポイントをお伝えしています。

① スポーツをやるかどうかは本人に決めさせる
② （特にビギナーや９歳以前の子に対しては）優劣がつくような厳しい競争環境にしない
③ 人と比べずに、過去の子どもと比べてできるようになったことをほめる
④ 練習中や試合中は、子どもから求められるまで口出しや助言をせずに見守る
⑤ スポーツの中で苦手な技能を克服させるだけではなく、得意な技能を伸ばし、子どもが得意なことで活躍できるポジションや競技、練習環境を見つける
⑥ 子どもがスポーツをやめたいと言うときは、理由を聞いた上で、本人の意思を尊重してやめる時期を決める
⑦ スポーツをやめることを選択したとしても、責めずに子どもの意思を受け入れる

この7点を意識して子どもと関わることで、その子自身のペースでスポーツを楽しめるようになり、スポーツを通じて自己肯定感や一歩踏み出す勇気などのライフスキルも高まっていきます。

余力があれば、休みの日に家族で一緒にスポーツをしたり、教室で学んだスキルを子どもに教わる機会をつくったり、プロの試合を観に行くなどすると、さらにスポーツへの関心が高まるでしょう。

そして、忘れてはいけないことは、**あくまでもスポーツや運動は子どもを伸ばす1つの手段である**ということです。

子どもへの教育の手段はスポーツであってもいいし、スポーツでなくてもいい。野外キャンプでもいいし、プログラミングでもいいし、英語教育でもいい。

1つの手段に縛られていては、親も子も苦しくなります。親の価値観を押しつけてしまうと、子どもとの関係も悪くなるでしょう。

スポーツに限らずいろいろな選択肢を子どもに体験させて、子どもに選んでもらいましょう。

健康のために運動をしてほしいと思う場合は、うまくできることよりも**運動の楽しさを味わえるようなサポートをする**ことが大切です。

POINT

運動ができることよりも、
運動を楽しむことを大切にする!

第 3 章

自己肯定感を育てる
関わり方

子どもに自制心を身につけてほしいと思ったら

✕ 誰かのために我慢しなくてはいけない

わがまま言わない！我慢しなさい！

遊びに行きたい！

◯ 「やりたい！」をたくさん叶える

昨日、遊びに行く約束したもんな

うん！

無理やり我慢させない方が「自制心」は育つ

「お姉ちゃんなんだから譲ってあげて」
「仕事で疲れているの。また今度にして」
「うちはお金がないから我慢しなさい」

　自分が何を言っても聞いてもらえない。自分の気持ちなんて大事じゃないんだ。自分のことよりも周りを優先するべきだ。
　このように自分の気持ちが満たされない環境で育つと、無価値感が強まっていきます。
　そうなると自分が楽しんでいるときにも、自分だけが楽しんでいてはいけないという罪悪感が湧いてくるようになってしまいます。

　確かに大人になると、思い通りにいかないことも、欲求を抑えなければならないこともあります。
　そして、自分の感情や欲求をコントロールする力（自制心）は、将来の成功や幸福度に大きく影響することが様々な研究によってわかっています。

　しかし、**子どもに教えたい我慢は、誰かに強要される我慢ではなく、自らが必要と感じて自分の意思で選ぶ我慢です。**
　人から強要されて我慢することを続けていると、感情を抑え込むことがクセになってストレスが溜まり、心と体に不調をきたすこともあります。**「我慢しなさい！」と言われてしぶしぶする我慢では、自制心は育たない**のです。

自制心を高める関わり方のコツ

　僕は、子どもと関わるとき次の3点を大切にしています。

① 我慢させない
　我慢させるよりも、子どもの「やりたい！」をたくさん叶えることが大切です。
「おもちゃで遊べた」「ブランコに乗れた」「話を聞いてもらえた」など、ささいなことでいいのです。できる限りたくさん子どもの欲求を満たしていくこと。やりたいことをたくさん叶えていくことで、本当に好きなことが見つかります。
　好きなことだから、つらい練習にも耐えられるのです。**好きなことや夢中になれることを見つけることが、我慢できる力を高める最大の近道です。**

② 子どもとの約束を守る
「明日、買ってあげるね」というような、子どもとした約束を守ることも大切です。
　望んでいるものを与えられたことや約束を守ってもらえた経験が多い子は、今我慢しても欲しいものは手に入ると思えるようになります。

③ 小さな達成感を体験させる
「がんばってできた！」という達成感をたくさん経験させましょう。**その達成感の積み重ねによって、「今我慢してがんばったら、もっと楽しいことがある」と思えるようになります。**苦しいこと

70

も、楽しみに変えて努力することができるのです。

　我慢させないことが我慢する力を伸ばし、自分が決めたことを最後までやり抜くスキルを育てるのです。

　我慢の強要の先に、幸せはありません。もちろん、子どもだけの話ではありません。大人も同じです。

　あなたがずっと我慢していることは、何ですか？

　今の自分には無理だと、やる前からあきらめていませんか？

　まずは、あなたをごきげんにしましょう。今この瞬間に、最大限、自分の気分を満たしていくのです。

　わかりやすく言えば、**自分のために「お金」と「時間」を使いましょう。**家族のためでも子どものためでもなくあなたのために、です。無理のない範囲で OK です。親の役割を離れて自分のために使える時間をなんとしてでもつくってください。

　大人とは、「自分を幸せにできる人」。あなたの生き方を見て、子どもは幸せになる方法を学んでいきます。

　自分がやりたいことを書き出してみて、すぐにできることから行動してみましょう。あなたがごきげんになる生活習慣を日常に取り入れていくのです。

　子どもを育てたいなら自分から。これが子育ての大原則です。

POINT

子どもの心を満たすことで、
自制心を育てる！

13

怒りで感情的に
なっている子に

×

「そんなことで怒らないの!」と
叱る

怒っちゃダメ!

○

上手な怒り方を教える

だってね…

イライラしてる
みたいだけど
何かあった?

　僕は25歳くらいまで、怒ることができませんでした。自分の居場所や友だちをなくすことが怖かったからです。

　みんなの期待にこたえたら嫌われない。明るくしていたら仲間はずれにされない。バカにされても言い返すこともなく、周りの機嫌をとる。それが正解だと信じていたのです。

　でも、「怒り」の感情にフタをして自分の気持ちを表現できずにいると、本当の気持ちがわからなくなり、感情を上手にコントロールできなくなります。

　そもそも怒ることは、悪いことなのでしょうか？

　「怒り」は、人として生きるための尊厳に、危険が迫っていることを教えてくれるサインです。自分が大切に扱われていないことを教えてくれる警告です。

　「怒り」を無視すると、心と体が壊れていきます。だから、怒りをなかったことにしてはいけません。

■ うまく怒りを表現できる子になる関わり方

　子育てにおいても、「そんなことぐらいでイライラしないで！」と**子どもの感情を抑え込むのではなく、上手な怒り方を教える**ことが大切です。

　子どもが「怒り」と向き合い、適切に表現できるようになるための、３つの関わり方を紹介します。

① 子ども扱いしない

　「怒ったらダメ！」「我慢しなさい！」と、親が子どもの感情を抑え込んでしまうと、「気持ちを伝えたらいけないんだ」と、子

どもは自分の感情を否定するようになります。

　大事なのは、**子どもを一人の人間として尊重し、向き合う**こと。親友や同僚と接するときと同じように関わるのです。

　親友が怒っていたら、「そんなことで怒るな！」とは言いませんよね。「どうしたの？　何があったの？」と声をかけませんか。

　同僚がイライラしていたら、「何かイヤなことがあった？　よかったら話を聞くよ」って言いますよね。

　友だちや同僚に言わないようなことは、子どもにも言わない。それぐらいの気持ちでいるのが、ちょうどいいのだと思います。

② 親自身が怒りを冷静に認識し、伝える

　「なんで宿題やってないの！」「どうしてウソつくの！　そんなダメな子に育てた覚えはない！」と、**親が日頃から感情をむき出しにして怒っていると、子どもはそっくりそのままマネをします。**

　逆に、親が気持ちを押し殺して我慢している姿も、子どもは見ています。

　これは心理学で**モデリング効果**と呼ばれているもので、子どもは無意識のうちに親の行動を観察して、実際に同じような行動をしてしまうのです。

　だからこそ、**親が怒り方の見本になる**ことが大切です。**「怒り」ではなく、「怒り」の背景にある本音を伝えましょう。**

　アドラー心理学では、「怒り」は二次感情で、その奥に自分の「本音」である一次感情が隠れているとされています。

　怒りの背景には、宿題をしていなくて「心配」、約束を守ってくれなくて「悲しい」など、必ず一次感情である「本音」があります。

親自身が、怒りを感じたときに「怒り」の背景にある「本音」に気づき、それを冷静に伝えることが大切です。**自分を主語にしたアイメッセージで伝える**といいでしょう。

「宿題をしないでゲームばかりしているのを見ると、心配なの」
「〇〇ちゃんのことを信じていたのに、本当のことを言ってくれなくて、ガッカリしたよ」

アイメッセージとは、このような「**〇〇（相手の言動）なので、（私は）△△（一次感情）です**」という形の伝え方です。

③ 怒りを一次感情に翻訳してあげる

怒りを我慢してしまう子やすぐにキレてしまう子は、感情を適切に表現する方法を知りません。ですので、優しく問いかけながら本当の気持ちを伝えるサポートをしてあげましょう。

「イライラしているようだけど、どうしたの？」「少し元気がないようだけど、何かあった？」「〇〇ちゃんに大切な本に落書きされて、悲しかったんだね」などと、**怒りの背景にある一次感情を子どもに気づかせる**のです。

本当の気持ちがわかるだけでも、怒りがスーッと落ち着き、相手にも伝えやすくなります。

POINT

本当の気持ちに気づかせる！

14

子どもが泣いているときに

✕ 「泣かないで」となだめる

◯ 言葉にできない気持ちを
引き出す

　泣いている子どもを、「こんなことで泣かないで」「なんで泣くのよ」「お願いだから泣きやんで」と叱ってしまったことはありませんか？

　子どもの頃に、自分が泣いたり悲しい顔を見せたりして、親に迷惑そうにされたり周りを困らせた経験があると、人前で泣くことはダメなことなのだと思い込んでしまいます。

「泣くことは弱い人がすること」
「私が泣けばみんなが迷惑する」

　このような考えが頭を支配して、悲しくても悔しくても、平気なフリをして感情を表に出さなくなるのです。

子どもの気持ちを受け止めることが大切

　人間は泣くことで、体のバランスを整えています。ストレスを感じたり感情があふれそうになったときに、**泣くことで副交感神経系が優位になり「興奮モード」から「休養モード」に切り替わります。体の力がスッと抜けて気持ちが落ち着き、ストレスがやわらいでいく**のです。

　子どもに泣くことを我慢させると、感情を適切に表現する力が育たず、ささいなことでキレたり、暴力で感情を発散させるようになります。
　ですから、泣くことを我慢させるのではなく、泣きたくなった子どもの事情に寄り添います。

どんなことに困っているのか、どんなことをわかってほしいのか、どんな気持ちが満たされていないのか。子どもが言葉にできない気持ちや考えを受け止めてあげるのです。

　ポイントは、「話をうやむやにしない」「泣きやませようとしない」「問題を解決しようとしない」ことです。

　頭の中でもつれてどうしようもなくなった感情を頭の外に出してあげましょう。助言をしたり、「どうしたらよかったのかなぁ？」と問題解決をしようとするのはそのあとです。

　まずは**言葉にならない不快なモヤモヤを、言葉にしてあげる**のです。

「順番を抜かされたから、悲しいのかなぁ」「欲しいものを買ってもらえなくて、ガッカリしてるんだね」などと、その子の大切な気持ちとして認めます。

　自分の気持ちを理解してもらえた安心感が親子の絆を育て、子どもの心の中に安全基地をつくります。

　また、モヤモヤしていた感情を言葉にしてもらえると、気持ちも落ち着き、自分の気持ちを相手に伝えられるようになります。「何がイヤだったのか」「これからどうすればいいか」を冷静に話し合えるようになるのです。

　そのタイミングで、**必要であれば解決方法を一緒に考えたり、相手を尊重した気持ちの伝え方を教えてあげましょう。**

　ときには子どもが感情をコントロールできずに、癇癪（かんしゃく）を起こして物を壊してしまったり、周りに八つ当たりをして衝突することがあるかもしれません。

しかし、**感情を無理やり抑えても、感情を溜め込むクセがつくだけで、感情を自分の言葉で表現する力が育ちません。**

感情を表現する経験を通じて、子どもは自分の望みに気づき、相手を傷つけずに上手に自分の気持ちを表現する方法を身につけていくのです。

ですから、子どもが泣いていたら無理に泣きやませようとせず、「今、子どもは学んでいる最中」ととらえて、子どもの感情表現に寄り添ってあげましょう。

ただ、**子どもが泣くことを認めても、子どもの要求にすべてこたえる必要はありません。**

「泣けば許してもらえる」「泣けば言うことを聞いてもらえる」と思わせるのは NG です。1項で紹介した、気持ちには Yes、行動には Yes or No です。

子どもの気持ちには寄り添いつつ、「木に登るのは危ないから、やめておこうね」「お菓子が欲しいのはわかったけど、今日は買わない約束だからまた明日ね」などとダメなものはダメと伝えるのです。

子どもの行動と人格を切り離した関わりをすることで、「ぼく（わたし）の気持ちなんてどうでもいいんだ」と子どもの自己肯定感を下げることなく、伝えたいことを伝えられます。

POINT

子どもが泣きたい事情を汲み取って言葉にする！

15

遊んでばかりいる子に

✕

「遊んでばかりいないで
勉強しなさい！」と言う

いつまで
遊んでるんだ！
勉強しなさい！

◯

「遊びも勉強の一環」と
見守る

うん！

おもしろい？

「いつまで遊んでるの！　早く勉強しなさい！」

「遊んでばかりいる子どもを見ると、つい頭ごなしに叱ってしまう」という親御さんの悩みをよく耳にします。
　心のどこかで、遊んでばかりいると子どもがダメな子になってしまうと思っているのかもしれません。

　勉強してよい成績をとることが当たり前の環境や、勉強したくてもできない環境で育ったために、勉強をさせるのが親の役割だと考えるようになった人も多いです。
　大人になったときに困らないように、学校の授業についていけるように、なんとしてでも勉強させなければと焦ってしまうのです。
　子どもの将来のリスクを少しでもなくしてあげたいという気持ちはわかります。ただ、誰かに強制される勉強は、本当に子どものためになるのでしょうか？

自分のペースで、好奇心から学ばせる

　僕は、「勉強しなさい！」と急かされて、目を輝かせて勉強する子を見たことがありません。
　皮肉なことに、親が子どもに勉強させる声かけをしない方が、勉強時間が長くなるというデータもあります。誰でも自分が好きなことを自分のペースで学ぶ方が楽しいし、長続きしますよね。
　さらには、子どもが好きな遊びの時間を奪って無理やり勉強させると、勉強ギライになってしまいます。これが一番のリスクです。

生物学者のレイチェル・カーソンは、「『知る』ことは『感じる』ことの、半分も重要ではない」という言葉を残しています。この世界の神秘や不思議さに目を見張る感性。美しいものを美しいと感じる心。そのような成長のきっかけになる「センスオブワンダー」こそ、子どもに一番授けたい力であると、彼女は訴えていました。

　新しいものや未知なものに触れたとき、「これはどういうことだろう？」「もっとくわしく知りたい！」という感情が湧いてきます。そして、内発的な好奇心によって「やってみよう」「調べてみよう」と、納得できる答えが見つかるまで探求するようになるのです。

　親が見ていなくても、先生にほめられなくても、「こうしたらうまくいくかも」と自分で問いを立てて実験し、失敗してもあきらめず、最後までやり抜けるようになるのです。

　人間は自分が感じたことを、「この感覚は何なんだ」と、深く知りたくなるもの。

　つまり、「感じる」から「知りたい」という欲求が生まれるのです。**感じることが、学びの出発点**なのです。だからこそ、知識を詰め込むだけの「勉強」ばかりさせてはいけません。

「なんかわからないけどこの石に触ってみたい！」
「このアリの行列はどこに行くのか見てみたい！」

　このような**子どもの感覚に寄り添い、知的好奇心を育てていきましょう。子どもの遊びを、勉強の一環として認める**ということです。

■■ 子どもの好奇心を引き出す関わり方

　それでは、子どもの感性や好奇心を育てるために、どのように関わればいいのでしょうか。

　子どもの遊びを見守るときの4つの原則と、親が介入すべき境界線を紹介します。

遊びを見守る4つの原則

① 「それは楽しくないよ」と否定しない
② 「こうやったらうまくいくよ」と助言しない
③ 「上手にできたね」と評価しない
④ 「次はこっちで遊んでみようか」と誘導しない

親が介入すべき境界線

① 大きな事故につながるリスクがあるとき
② 法律や公共のルールに違反しているとき
③ 他人を傷つける・気分を害する行為をしているとき（暴力を伴うケンカ、騒音など）
④ 子どもが行き詰まって助けを求めてきたとき

　危ないから禁止にするというのは簡単なことですが、あらゆるリスクを取り除いてしまうと、子どもは何もできなくなります。失敗から学ぶ機会がなくなるのです。

　「公園の中で走り回るのはOKだけど、道では走らない」など、どのようなリスクなら許容できるかを見極めた上で、子どもが思いっきり遊べる安全な環境をつくりましょう。

住んでいるまちにも 好奇心のタネはあふれている

　子どもたちの好奇心がきっかけになった学びの例を紹介します。

　僕の教室で、「今住んでいるまち、和歌山が好きですか?」と子どもたちに聞いたところ、「大人になったら都会に行きたい。だって、和歌山はなんもない。田舎だし楽しいとこないし、まちを歩いていても店がいっぱい潰れてるし……」という答えが返ってきました(2018年当時、和歌山県内の高校の卒業生の県外進学率は、31年連続全国1位)。

　否定的な意見が多い中で、ある男の子が力強く言いました。

　「和歌山はなんもないっていうけど、ほんまになんもないか確かめてみよう!」

　このひとことがきっかけで、「和歌山の『働く』を知る本を作ろう」というプロジェクトが始まりました。子どもたちが和歌山で働く人をインタビューして一冊の本にまとめるというものです。

　教室を飛び出してまちを歩き、おもしろそうと感じた店を子どもたちで選び、店長に「なぜ梅ぼし屋さんを始めたんですか?」「オススメの商品は何ですか?」「やっててよかったことは何ですか?」などとインタビュー。

　外からは見えなかったお店のこだわりや店長の想いに触れて、子どもたちの目の色が変わっていきます。

　「和歌山が梅の生産量が日本一というのは知らなかった!」

　「将来、ぼくも自転車屋の店長になって、みんなの自転車をピカ

ピカにする！」

「わたしも自分が心から納得できる商品を作りたい！　お客さんの喜ぶ顔が見てみたい！」

「和歌山はなんもない」と言っていた子どもたちが、本のキャッチコピーに「和歌山はなんもなくない」とつけました。

　本作りに参加した子どもたちは、今でも友だちに和歌山の魅力を紹介しているそうです。まちの大人との交流が、子どもたちの考えを変えたのです。

　子どもは、大人と触れ合う機会が意外と少ないものです。

　だから、**地元の商店街で買い物をしたり、まちのイベントに参加してみる**のはオススメです。自分の仕事に誇りを持って生きている大人と出会えます。

　そんな熱を持った大人との関わりの中で、自分のやりたい仕事やなりたい大人の姿が見えてきます。自分の未来を考えるきっかけにもなるのです。

　大人は答えを知っていることでも、身近なことでも、**子どもが興味を持つことや不思議に感じることを大切にして、子どもの才能や好奇心のタネを探してみましょう。**

POINT

**子どもの好奇心のタネを
見つける！**

16

悩んでいる子どもへの関わり方

❌

いつも明るく笑顔でいなければいけない

暗い顔しないの！

⭕

ネガティブな気持ちも受け入れる

友だちとケンカしちゃったの…

今日はどんなことがあった？

つらいときも苦しいときも笑わなければいけない。周りの人に愛想よくしなければいけない。そのような振る舞いを大人から押しつけられて育った方もいると思います。

自分の気持ちを隠すということは、ありのままの自分を否定するということです。

笑いたくないときに笑おうとすると生きづらくなってしまいます。自分の心にウソをついて得られたものに、心は動きません。自分の心を犠牲にしてつくり上げた関係は、どちらかが耐えられなくなったときに壊れてしまいます。

笑顔をつくることに、エネルギーを使わなくていい。笑いたいときに笑えばいい。楽しいことがあるから、自然と笑顔になれる。そして体に力が湧いてくるのです。

子どものありのままの感情を大切にする

子どもに、「いつも笑顔でいなさい」「そんなことで弱音を吐くんじゃない」「つらいときこそ笑うんだよ」と言ってしまうことはありませんか?

僕が受け持っているダンスレッスン中にも、「もっと楽しそうに踊りなさい」「笑顔をつくりなさい」と、子どもに声をかけている親御さんをよく見かけます。

子どもが楽しそうにしている姿を見たい。悲しい顔や苦しんでいる姿を見たくないという気持ちもわかります。でも、だからといって**ネガティブな感情を感じさせないようにしては、本当の感情がわからなくなってしまいます。**

自分の感情を大切にしながら上手にコントロールする方法を子どもに教えてあげることは、人と関係を築くためにも、おだやかな毎日を過ごすためにも大切なことです。

　「子どもに笑顔を強要しない」「気持ちを無理にポジティブにしようとしない」ことが大切です。子どもがネガティブな気持ちになっているときも受け入れて、苦しみも悲しみも怒りも子どもが感じている心を、一緒に感じてあげましょう。

▰ 豊 か な 感 情 を 育 て る 関 わ り 方

　僕が教室で実践している、子どもの感情表現を育てるためにオススメの関わり方を、2つ紹介します。

① GOOD & NEW（グッドアンドニュー）
　こちらはアメリカの教育学者ピーター・クラインがチームの心理的安全性を高めるために開発したゲームで、ルールはとてもシンプル。
　24時間以内にあった「よかったこと（GOOD）」や「新しい発見（NEW）」をグループで共有し、聴き手は拍手をして盛り上げるというもの。僕も授業のはじめに取り入れています。
　「お菓子を友だちと作って楽しかった」「逆上がりができてうれしかった」など、最初は短い答えでも、「どんなお菓子を作ったの？」「どんな練習をしたの？」と質問を交えながら聞いていくと、登場人物や出来事の描写も細かくなり、感情表現も豊かになっていきます。
　また、**子ども自身が普段から「何か楽しいことがないかな」**と

アンテナを立てるようになるので、よかったことを見つけたり、新しい発見をしたりすることも上手になります。

夕食のときや習いごとの送迎時など、１日10分でもいいので、子どもが感じたことを聞くために、**家族でその日にあったことをシェアする時間をつくる**のもいいですね。

② 感じたことを絵文字やイラストで表現してもらう

自分の気持ちを言葉で表現するのが苦手な子もいるので、スマホの絵文字を見せながら聞き、**絵文字を選ぶことで自分の気持ちを表現してもらう**ことも効果的です。

「今日楽しかったことの絵を描いてみて」と促し、**絵を描いてもらってから、「どんなことがあったの？」と聞く**方法もあります。

これは表現療法のアプローチですが、ただ単に問いかけるだけではなく、「話す」「描く」「踊る」「歌う」「作る」など、いろいろな表現技法を組み合わせることで脳が刺激され、創造性や自己表現力が高まるなど、様々な効果が期待できます。

「ありのままの気持ちを大切にする」ことは、子どもだけではなくあなたにも言えることです。笑いたくないときは笑わなくてもいいし、周りの機嫌をとらなくてもいい。しんどいときはしんどいと伝えてもいいのです。これからは、親であるあなたから率先してありのままの自分の気持ちを大切にしていきましょう。

POINT

子どものありのままの感情を引き出す！

17

いつもマイペースな子に

✕

「早くしなさい!」と急かす

○

その子のペースを大切にする

■ 子どもを不安にしてしまうひとこと

「早くしないと置いてくよ！」

　マイペースな子どもをこのように急かしてしまうことはありませんか？

　この何気ないひとことが、子どもの心に **「見捨てられ不安」** を植えつけてしまうことがあります。「親の言うことを聞かないと捨てられる」と脳に刷り込まれてしまうのです。

　親に捨てられると子どもは生きていけないので、自分の気持ちを押し殺してでも親のペースについていこうとします。その結果、親に捨てられないように必死で考えた戦略や行動パターンが、子どもの人生の脚本になり、大人になってもその脚本に従って生きることになる場合もあります。

　また、逆に「早くしなくても実際には置いていかれない」と気づくと、親の言うことを信じなくなります。親の「オオカミ少年化」です。そうなれば、脅しの効果が弱まるだけではなく、子どもと大事な話ができなくなります。親子関係で一番大切な信頼を失ってしまうのです。

■ 子どものペースを尊重できる ゆとりをつくってみる

　子ども自身のペースを尊重することは、「自主性」や「やり抜く力」などの非認知能力を伸ばす鍵になります。

「やってみたい」「おもしろそう」、そんな好奇心に突き動かされ

て決められた道から一歩外へはみ出してみる。レンガをひっくり返してみたり、いつもと違う公園で遊んでみたり、棒を拾って帰ってきたり。

そんな**クネクネ歩む道のりに、子どもの知的好奇心を高める体験が転がっているのです。**

「早くしなければならない」「計画通りに進めないといけない」「完璧でないといけない」という考えが強くなると、子どもの好奇心が奪われ、学びに対する意欲や自分から行動しようとするモチベーションがなくなっていきます。子どもの将来の可能性を狭めてしまうのです。

子どもの興味や好奇心がすべての学びの出発点になります。

子どもの好奇心を育てるためには、**「早くしなくてもいい」「計画通りでなくていい」「完璧でなくてもいい」**。この3つが大原則です。言いかえれば、ジャマしない、焦らせない、求めない、ということです。

このままでは失敗するとわかっていても口出ししない。効率が悪いと思っても黙って見守る。自立した大人になるためには、自分の欲求を表現できる時間を思う存分過ごすことが重要です。

自分の心が満たされた体験。やりたいことに思う存分打ち込めた体験。自分が興味を持っていることに取り組む姿を親に見守ってもらえた体験。そのような体験が、生きていくことへの喜びや大人になることへの希望を生み出し、毎日の原動力になります。**大人になるためには、「大人になることを求めない」ことが大切**なのです。

そのために、子どものペースを尊重できるような、時間にも心にも余白を持った生活スケジュールを組みましょう。

分単位できっちり予定を組むのではなく、それぞれの予定に10%程度のバッファ（ゆとり）を持たせることがポイントです。

とはいえ親には親の都合があるし、生活があり、人生があります。子ども中心にすべてを考えていたら生活がままなりません。

ですので、次の予定がある場合は、「１時間は公園で遊んでいいよ」と遊ぶ前に子どもと時間を決め、約束しましょう。「あと10分で家に帰るからね」と時間になる前にリマインドとして伝えることも大切です。

子どもの気持ちを尊重しつつ、親も我慢しない。どちらかが犠牲になる関係は、いずれ破綻します。

だからあなたも我慢しなくていいのです。完璧でなくていいし、計画通りに進めなくても大丈夫。時間に追われる生活では、子どもとあたたかな関係が築けません。

やるべき家事が多いときは、同時にやらないことも決めて時間のゆとりを持って生活しましょう。TO DOリストだけではなく、NOT TO DOリスト（やらないことリスト）をつくるのです。そうすれば、やりたいことに使える時間が生まれます。

ゆとりがあれば、子どものペースも自分のペースも大切にできるようになります。

POINT

ゆとりを持った
スケジュールを組む！

18

「○○らしく」と言いたくなったら

✕ 女の子らしく／男の子らしくしなければいけない

男の子なんだから外でスポーツしてきたら？

○ 自分らしくいればいい

うん！

料理、好きなんだね

ステレオタイプを押しつけてしまう 叱り方・ほめ方

このような言葉を言われたことはありませんか？

「女の子なんだから行儀よくしなさい！」
「男の子なんだからスポーツができなきゃダメ！」

「女の子だからおしとやかにしなさい」と、感情を表に出すことを認めない。
「男の子だから強くならないといけない」と弱さを見せることを許さない。
「女の子だからピンク色の服を着ようね」と子どもが好きな色を認めない。
「男の子だったらよかったのに」と子どもの存在そのものを否定する。

　昔と比べて今は減ってきたとはいえ、このような場面を目にすることはまだまだありますよね。

　子どもをほめるときにも、同じようなことが起こっています。

「男の子なのに料理が上手だね」
「女の子なのに空手ができるのね」

　言っている本人に悪意はなく、軽い気持ちで言っていることが多いと思います。
　しかし、性別は変えられないことです。**性別を理由に叱られた**

りほめられたりすると、「女の子だから〇〇してはいけない」「男の子だから〇〇をするべきだ」などとステレオタイプな考えが身についていき、自分で自分の可能性を狭めるようになってしまいます。

「その子らしさ」にフォーカスした声かけをする

ですから、子どもを叱るときや助言するときはもちろん、ほめるときにも、男や女という性別を意識させる言葉は使わないことが重要です。

表面的な性別にとらわれず、子どもの「こだわり」や「エネルギーの向き（興味があること）」を観察するのです。

人は誰しも、親からの影響やメディアの情報によって、少なからず、「男の子だから、女の子だから」という固定観念を持っていると思います。

でも、これからは「男の子らしさ・女の子らしさ」で採点するのではなく、子どもの「自分らしさ」を伸ばしてあげるのです。

声かけは次のように変換しましょう。

「男の子はスポーツが得意でないと」
→「スポーツをすると健康になるからやってみない？」

「女の子なんだから行儀よくしなさい」
→「ここでは周りの人が勉強しているから静かにしましょうね」

「女の子（男の子）らしくしなさい」

→ **「あなたが好きならそれでいいよ」**

「男の子なのに料理を作れるのね」

→ **「あなたは料理を作ることが好きなのね」**

「男の子らしく、女の子らしく」

「子どもらしく、大人らしく」

「母親らしく、父親らしく」

　もう、このような自分や子どもを苦しめるルールは手放すときです。

　あなたと子どもの未来は、今日から何を選択して何を手放すかによってつくられていきます。

　これからは、子育てがラクになる考え方を選択しましょう。

　そして、心が軽くなる生き方を取り入れていきましょう。

　世の中が押しつける「らしさ」を、あなたや子どもの人生に取り込まなくてもいい。人生の脚本は、自分自身が決めるのです。

POINT

**性別を意識させる
声かけをしない！**

19

他の子との違いが 気になったら

✕

周りに合わせるべき

座って！
みんなと
同じようにして！

○

人と違っていい

うん！

体を動かすのが
好きなら
ダンスやってみる？

ピョン
ピョン

「目立ってはいけない」

「輪を乱してはいけない」

「人と違ってはいけない」

　そのように感じて、周りの人に合わせてしまったり、言いたいことが言えないことはありませんか？

　子どものときに、自分だけができていないと「なんでできないんだ！」と叱られた。周りと違うことをしていたら、「空気を読みなよ」と友だちにバカにされた。そのような経験をすると、人と違うことを極度に恐れるようになります。

いつも「周りと同じ」を求めるのはNG

「みんなが英語を習わせているから、うちの子も通わせなければ……」と、いつも周りと比べて焦ってしまう。

　子どもがいじめられたらどうしようという不安があり、輪を乱すような行動や、荒い言葉遣いをする子に「そんなこと言ったらダメ！　やめなさい！」と過剰に反応してしまう。

　子どもの気持ちが見えなくなり、とにかく周りの子から遅れないようにすることが子育ての目的に。

「子どもには寂しい思いをさせたくないし悲しませたくない」という気持ちはわかります。

　しかし、子どもを枠にはめこみ、はみ出したところを削ってしまえば、その子の本来の才能や魅力を潰してしまいかねません。
やる気や好奇心がなくなり、周りに合わせて他人軸で生きるよう

になってしまうのです。

　自分軸を持って自立している人は、自分の心の声に素直に従って生きています。人と同じかどうかではなく、自分が心地よいかどうか、自分の心が喜ぶかどうかで選択します。

　人の意見も聞いた上で、最後は自分で決める。自分で決めたことだから、周りのせいにせず自分で責任を取る。できないことを認めて周りに助けを求める。

　自分軸で生きていると、どのような環境でも受け入れて、自分で自分を幸せにできます。子どもの自分軸が育つような関わりをすることが、子どもの幸せにつながっていくのです。

子どもの自分軸を育てる方法

① 子どもの気持ちを引き出し、受け止める

　子どもが周りの目を気にしてモジモジしていれば、「あなたもやってみたいの？」「本当はどうしたいの？」と、**子どもの気持ちを聞いてあげましょう。**

　「友だちがズボンをはいてるのに、自分だけスカートをはくと変だと思われるか心配してるのかなぁ」と、**子どもの不安や恐れを言葉にして受け止めてあげましょう。**

　「あなたが不安に思う気持ちもわかるよ。でもあなたが決めたことを、全力で応援するからね」と勇気づけてあげるのです。

② 子どもの短所が長所として活かせる環境を選ぶ

　「落ち着きなさい」「静かにしなさい」「集中しなさい」などと、**子どもの特性が責められたり叱られる場所を離れて、逆にその特**

性がほめられる・認められる環境を選びましょう。

　親としては、子どものできないことが目につき、周りを見渡して他の子よりも劣っているところがあれば、つい直したくなるものです。

　僕の親もそうでした。落ち着きがなく字が汚かったから、習字教室に通わされました。

　そこでは机の前で正座をすることが求められ、お口はチャック。少しでも枠内から文字がはみ出せば赤ペンで修正されました。正しく書けるまで何度もやり直し。

　習字に通えば通うほど自分にバツがつけられました。周りと比べて上手に字が書けないし、いつも叱られる。自分はダメな子なのだと自信をなくしていったのです。

　もし、僕が習字教室ではなくダンス教室に通っていたらどうなっていたでしょう。

　静かな環境で正座することは求められず、ノリのいい音楽に体を揺らしてありのままの自分を表現することを認めてもらえたかもしれません。

　アート教室に通っていたら、枠に収まらない下手な字を「芸術」としてほめてもらえたかもしれません。

　そうなれば、自分の欠点を責めずにすんだかもしれない。自分のことを好きになれたかもしれない。もっと自由にありのままの自分を表現できたかもしれない。

　環境が変われば、短所が長所に変わります。周りの子を基準に子どもを見ると、子どもの才能が見えなくなってしまいます。

子どもの苦手な部分を直してあげたい、集団行動の中で協調性を身につけてほしいという親心もわかりますが、**まずは子どもが自分を誇りに思えるような体験を積ませてあげましょう。**

　たとえば「周りのペースに合わせられず、大勢で取り組むことが苦手」な子には、プログラミングを。「1つの場所で落ち着いてじっとしていられない」子には、スポーツを。「人の意見に批判ばかりして、協調性がない」ように見える子には、ディベートや哲学を。「誰かに指示をされたり、決められたことをするのが嫌い」な子には、のびのび自分のペースでできる野外活動を。「繊細で感受性が強い」子には、音楽や芸術活動を。

　自分の特性が活かせる体験ができると、子どもは自分の特性に自信が持てるようになります。自分のよいところも悪いところもまるごとひっくるめて愛せるようになるのです。
　そうなれてこそ、いろんなところで挑戦してみようと動き出せます。まさに、みにくいアヒルの子が、白鳥になって大空に羽ばたくように。

POINT

人と違うところが
ほめられる環境を用意する！

第 **4** 章

コミュニケーションが
うまくなる関わり方

20

友だちとの関わり方を
教えるときに

× 「ケンカをしてはいけない」
と伝える

○ 上手なケンカの仕方を教える

　子どもが遊んでいる姿を目を光らせて監視し、子どもの間でちょっとでも言い争いが起これば、「何してるの！」と親がすぐさま動き出す。話を聞くこともなく「あなたが悪い」と決めつけて、「ごめんなさいは？」と子どもに詰め寄る。

　このような背景には、「いざこざを起こしてはいけない」「よその子ともめてはいけない」という考えがあるのかもしれません。

　でもそれは、本当にダメなことなのでしょうか？

ケンカは人との関わり方を学ぶチャンス

　ケンカをすることで、みんなそれぞれ考えが違うことがわかります。相手の立場に立って自分の意見を伝える大切さを知り、仲直りの方法を学んでいくのです。

　ケンカを避けていては、自分の素直な気持ちを伝える力が身につかず、相手を大切にする関わり方や距離感がわからないまま大人になってしまいます。

　言いたいことが言えない。相手の本心がわからない。周りの人から軽く見られる。どこに行っても人間関係に悩み、自分の幸せを見失って生きづらくなる可能性があります。

　ですから、**「ケンカをしてはいけない」と教えるのではなく、ケンカをするときのルールを教えましょう。**対立を避けるのではなく、対立の中で学ばせるのです。

　参考までに、子ども同士で言い争いになったときの対応として僕の教室で実践している、「子どもが守るルール」と「（そばにいる）大人が守るルール」を3つずつ紹介します。

子どもが守るルール

① 暴力は禁止

物を投げたり、叩いたり、かむなど、自分と相手の体を傷つけないこと。万が一、そのような場面を見つけたら、大人が止めに入ります。子どもがどうしても気持ちが抑えられないようであれば、その場から離れるように伝えましょう。

② 言いたいことは言いきる

自分の気持ちや考えていることは全部伝えた上で、相手の言い分もしっかり聞いて理解しようとすること。

ただ自分の意見を主張するだけではなく、なぜそのように思うのかという理由や具体例を交えて説明することを教えます。

③ 大人に助けを求めてもいい

子ども同士で解決できないときには、先生や親など近くにいる大人に助けを求めること。

大人が守るルール

① 原則、見守る

暴力や法律に違反するようなことがない限り、基本的には親は介入せずに成り行きを見守りましょう。子どもが助けを求めてきても、自分がコントロールできないくらいパニックに陥っていない場合は、まずは子ども同士で解決することを促しましょう。

② 裁判官ではなく仲裁人（橋渡し役）になる

「また○○くんを泣かしたの。どうしてイジワルするの！」「先に手を出したあなたが悪い！」などと、両者の話を聞くことなく

どちらが悪いかの判決を下し、謝らせないようにしましょう。

あくまでも**中立の立場で言い分を聞いて、「〇〇くんはやっていないと言っているけど、どう？」**と、**お互いのコミュニケーションを手伝ってあげるイメージ**です。

「お兄ちゃんなんだから譲ってあげなさい！」などと年齢や性別によって差をつけずに、お互いが納得できる答えを見つける橋渡しをしてあげましょう。

③ 結果を責めない

「なんで叩いたの」「物を投げてはいけません」と頭ごなしに叱るのではなく、**行動の背景にある子どもの気持ちを理解**します。

「自分のおもちゃを使われたから、叩いてしまったんだね。でも、叩いたら友だちも痛いと思うから、次からは言葉で言ってみようね」と共感しながら改善策を伝えてあげると、子どもの気持ちも落ち着き、解決に向けて行動することができるようになります。

対話によって自分も相手も納得できる答えを見つけることは、社会で生きるために大切なコミュニケーション力です。人との対立を避けていては身につきません。「自分が我慢すればいい」「相手に我慢させればいい」という考え方では育たないのです。

きょうだいゲンカも、対立から学ぶよい実践の場になります。このようにとらえると、少し心のゆとりが生まれてきませんか？

POINT

ケンカをするときの
ルールを教える！

21

素直に「ごめんなさい」が言えない子に

✕

「謝りなさい!」と叱る

⭕

「謝ってよかった」と感じる体験をさせる

絶対に謝ろうとしない子と
すぐ謝る子の共通点

僕は子どもの頃、素直に謝ることが苦手でした。

「ぼくだけが悪いわけではないから、絶対に自分から謝らない」と思うこともあれば、「これ以上もめるのもめんどくさいから、とりあえずごめんなさいって言っておこう」とすぐに謝ることも。

「絶対に謝らない」と「すぐに謝る」。矛盾しているようですが、その背景には1つの共通点があります。

それは、**もうこれ以上傷つきたくないという防衛本能**です。

失敗やミスを親に厳しくとがめられた、謝るまで許してもらえなかったという経験をすると、本来の謝る理由を見失い、自分を守ることしか考えられなくなります。叱られたくないし嫌われたくない。否定されたくないし見捨てられたくない。

だから、悪いと思っていなくてもすぐに謝る、または自分が悪いと認めず絶対に謝らない、という行動を選んでしまうのです。

謝るという行為は、傷つけた相手の心を理解し、よい関係を取り戻すためにすることです。親に叱られないためでも、自分を守るためでもありません。**大事なのは、自分の過ちを認めて、自分の言葉で相手に伝えること。**それができなければ、信頼を失い、居場所がなくなってしまいます。

「悪いことをしたのだから、謝りなさい」などと、親が子どもに謝らせようとするシーンもよく見かけます。

しかし、これは逆効果で、「ごめんなさい」と言えば許しても

らえるという感覚が育ちます。

　**自分のどんな行動が悪かったか、相手をどのような気持ちにさ
せたのかを考える機会がなくなってしまう**のです。悪かったこと
を反省していないので、何度も同じことを繰り返すことも。

◣ 素直に謝れる子になる関わり方

　間違ったことをしたときに、子どもが自分から謝れるようにな
る３つの方法を紹介します。

① 人格を否定しない
「だからお前はいつもダメなんだ」「そんな子に育てた覚えはあ
りません」など、日頃から子どもの人格を否定していると、「ぼ
く（わたし）はダメな子なんだ」と子どもの自尊心は傷ついてし
まいます。そうなると、いざ問題が起きても傷つきたくないので、
自分から謝れなくなってしまうのです。

　ですので、**普段からほめるときも注意するときも、子どもの行
動と人格を切り離して、行動面にフォーカスして声をかける**こと
が大切です。そうすると子ども自身も、自分の価値とやってしま
った行動を分けて考えることができ、悪かった行動を素直に認め
られるようになります。

　ほめるとき：「いい子ね」→ **「今日も朝早く起きられたね」**
　注意するとき：「なんであなたはいつも約束を守らないの」
→ **「トイレの電気をつけっぱなしで、とても悲しかったよ。どう
やったら消し忘れがなくなるかなぁ？」**

② 謝った勇気をほめる

　子どもが自分の意思で非を認めて謝ったときは、すかさずほめてあげましょう。謝ることは、大人でも勇気がいることです。「謝ってどんな気持ちになった？　相手はどんな顔をしていた？」と、**謝ることで何が変わったかを子どもに確認させましょう。**

③ 親自身も子どもやパートナーに謝る

　家族の間でも、「自分が悪かったな」と思ったときは、素直に「さっきのは、ママ（パパ）が悪かった。あんなに怒らなくてもよかったね。イヤな思いをさせてしまって、ごめんなさい」「きつく言ってしまってごめん」などと、冷静になったタイミングで、きちんと伝えるようにしましょう。

　こうすることで、**たとえ仲がよい関係でも、自分が悪いときは自分から謝ることが大切**であるということ、**謝ってもらうと気持ちがスッキリするし相手との関係も深まる**ということを、子どもにわかってもらえると思います。

　謝ることは負けではありません。カッコ悪いことでもありません。相手との絆を深めるために大切なことです。
「謝ってよかった」という体験を積ませることで、自分の行動に自分で責任を取るという意識を育てていきましょう。

POINT

謝ることの効果を感じさせる！

22

誰かを怒らせて（傷つけて）しまった子に

❌

"自分"がされたらイヤなことをしてはいけない

ぼくはイヤじゃない

自分がされたくないことはしちゃダメ！

⭕

"相手"がされたらイヤなことをしてはいけない

勉強をジャマされると、お姉ちゃんはイライラするの

「自分がされたらイヤなことを相手にしない」

　子どもを黙らせるには、とても都合のいい言葉です。大人でも無条件に納得してしまう方も多いのではないでしょうか。

　でも、この言葉の意味するところを理解せずに、考えることを放棄してしまうと危険です。

　この言葉の意図としては、「相手の気持ちを考えて行動しよう」ですよね。それはもちろん大切なことですが、「自分がされたらイヤなことはしない」という声かけだけでは不十分です。

　なぜなら、**「自分がされたらイヤなこと」** と **「相手がされたらイヤなこと」が一致するとは限らないから**です。

■■ 「イヤなこと」は人それぞれ

　結婚式に呼ばれてうれしい人もいれば、お金も時間もかかるので呼ばれたくない人もいます。ネガティブな意見を聞きたくないという人もいれば、自分の考え方を見直せるので率直な意見を求める人もいます。「プレゼントはサプライズで！」という人もいれば、何が欲しいかを事前に聞いてほしい人もいます（僕がそうです）。

　人それぞれ好みや価値観や置かれている状況は違います。相手の気持ちを想像することは大切ですが、結局のところ、相手に聞いてみないとその人が望んでいることはわかりません。

　自分がされてイヤなことでも、本当に相手も同じように感じるのかを、子ども自身で確かめる機会をつくることが大切です。

「人はみんな同じ」という価値観ではなく、「人はみんな違うか

ら、自分の気持ちを伝えて相手の気持ちも聞いて、みんなが楽しく過ごせる場所をつくろうね」という方が、現実的ではないでしょうか。

　なので、僕は「自分がされたらイヤなことをしてはいけない」というルールの代わりに、次の２つのことを大事にしています。

① 「自分がされてイヤなことは相手もイヤかもしれないから、相手にどう思うかを確認してみよう」と伝える

「もしかしたら、あなたと同じように、〇〇くんも鬼ごっこに誘ってもらえなかったら寂しい思いをするかもしれないね。一度、〇〇くんに鬼ごっこをやりたいか聞いてみるのはどうかなぁ？」

「頼みごとをすると、相手の迷惑になるかもと心配してるのね。その気持ちもわかるけど、一度、『忙しいかもしれないけど、手伝ってくれると助かる』と無理強いせずに、頼んでみるのはどうかなぁ？」

② その行動の結果、周りの人がどのような気持ちになったかを伝える

「試合中にパスをしてくれないって、〇〇ちゃんが残念そうに言っていたよ」

「勉強をがんばっているお姉ちゃんをジャマすると、お姉ちゃんも『あっち行って』ってイライラするし、あなたが努力している人の足を引っ張るのを見るとママはガッカリする。この気持ちわ

かってもらえるかな?」

　されてイヤなことは、人それぞれです。自分の嫌いなことは、誰かの好きなことかもしれません。

　また、相手の気持ちを想像する力は体験の中で培われていきます。自分の言ったことや行動で友だちを怒らせてしまったり、悲しませてしまったり、喜んでもらえたり。そんな実感を伴う体験の積み重ねが、人の気持ちを尊重する心や、相手の立場で物事を考える力を育てるのです。

「自分がされてイヤなことはしない」というよりも、「**あなたの行動によって私はイヤな気持ちになったよ**」と伝えてあげた方が、**相手の気持ちを想像する力が養われていきます。**
　もちろん、逆のパターンも同じです。
「**あなたが手伝ってくれたからゆっくり休めて、とてもうれしいよ。ありがとうね**」と伝えることで、**どんな行動をすると周りの人に喜んでもらえるのかを学習できます。**

　ですから、**叱るだけでなく、子どものどんな行動でどんなポジティブな気持ちになったかを伝えることも、とても大切です。**
　子どものよいところを見つけて、ほめる声かけを積極的にしていきたいですね。

POINT

その行動によって相手がどんな
気持ちになるかを確認させる!

23

ひとり遊びばかり
している子に

✕

「みんなで遊びなさい！」

○

ひとり遊びが好きでもいい

■■■ 子どもが夢中になれることが大事

「新しいクラスになじめたかな？　友だちと仲良く遊べてるかな？」

　友だちとの関係や、集団の中での関わりが気になる親御さんも多いようです。公園で他の子が楽しそうに遊んでいるのに、なかなか輪に入れない子どもを見て、「自分から声をかければいいのに」とはがゆい気持ちになることも。

　そのように親が心配する姿を見て、「たくさん友だちをつくるべき」「ひとりで遊んではいけない」というルールが、子どもの潜在意識に埋め込まれていきます。友だちと上手に遊べないことに自信をなくして、人と関わることを恐れるようになったり、友だちをつくるために、自分が楽しいと思うことではなく、周りが望んでいることを選択することもあります。

　これでは、何をするにしても周りの目を気にしてしまい、自分がやりたいことや好きなことを探求する力が育ちません。

　はっきりとお伝えしたいことは**「輪の中に入れない＝発達が遅れている」ではない**ということです。

　大勢でワイワイするのが好きな子もいれば、ひとりでモクモクと遊ぶのが好きな子もいる。体を動かして走り回るのが好きな子もいれば、頭を使ったボードゲームで遊ぶのが好きな子もいる。

　子どもそれぞれの「楽しい」ポイントが違うので、本に書いてあるような発達段階の通りに進んでいなかったとしても気にしないことが大事です。

親が子どもの「未来」を心配するのはわかりますが、子どもは「現在」を生きています。親の心配や恐れを子どもに投げかけると、子どもは、今を楽しめなくなってしまうのです。

　今を全力で楽しんだ先に、未来の子どもの生き抜く力が育つと僕は信じています。
　自分のやりたい気持ちに従って自分で選んで、自分で決める。不安や恐れがない環境で今やりたいことに没頭し、夢中になる。そのプロセスの中で、自分の気持ちを肯定する力、仲間と協力する力、問題を解決する力などの、社会を生き抜く力が育まれていくのです。
　だから大人は、子どもの今というこの瞬間を奪ってはいけません。**子どもが今、困っていないなら、ひとりで遊ぶことを楽しんでいるなら、それでいいのです。**

ひとり遊びだからこそそのメリットもある

　周りの意見に合わせたり誰かと比べることなく自分のペースで好きなことに取り組めるため、**ひとり遊びには、自己理解が深まる、好奇心や自己肯定感が育つというメリットもあります。**
　個人差はありますが、9歳頃までは協調性を育むことよりも、**自分が「おもしろそう！」と思ったことを、できるだけたくさん体験することが大切です。**
　やりたいと思った瞬間に、すぐに触れてみて、聞いてみて、味わってみて、体を動かしてみる。そのような五感を刺激する体験の中で、脳が発達するとともに自発性や創造性が養われていきます。**自分が好きなことや嫌いなこと、得意なことや苦手なことが**

はっきりして、自分軸が育っていくのです。

自分軸がないまま周りに合わせることを求められると、他人軸が強くなって自分を後回しにする行動パターンが染みつき、自分がやりたいことや本当の自分がわからなくなります。

好きなことが見つかれば、自然に友だちと関われるようになってくるものです。

「仲良くしなければ」「周りに合わせなければ」という不安や恐れを出発点に行動していても、楽しいことは見つかりません。

子どもが困っている様子がなければ、無理に輪の中に入れようとせず優しく見守ってあげましょう。

「みんなで楽しく遊びましょう」という学校での教えや親の期待が、子どもを不安にさせていることもあります。「あの子、ひとりで遊んでる」と周りの子から指を差されることもあるでしょう。そんなときは、「ひとりで遊ぶのは悪いことではないよ」「自分のペースで遊んだらいいからね」「一緒に遊びたくなったら言ってね」などと声をかけ、子どもの不安を軽くしてあげましょう。

そもそも楽しくない遊びは、遊びではありません。

子どもが「楽しい」と思えることを尊重し、子どもの感性や自分軸を育てることを優先していきましょう。

POINT

ひとりで遊ぶ子どもを見守る！

24

「あの子キライ！」と言う 子どもに

✕ 誰とでも仲良くするべき

そんなこと
言わないの

あの子、
キライ！

○ みんなと仲良くしなくていい

どうしたらお互い
気持ちよく
過ごせるかな？

そっか

「みんなと仲良くしなさい」

「好き嫌いをしてはいけません」

「友だちいっぱいつくろうね」

苦手な相手も 尊重した関わり方を教える

人それぞれ価値観も生き方も違うので、苦手な人や合わない人がいるのが当然です。ですから、**嫌いな気持ちにフタをするのではなく、嫌いなことを認めた上で、どのように付き合っていくかを見つけること**が社会で生きていくために大事なのです。

自分と合わない人から離れてもいいし、嫌いな人と無理して遊ばなくていいのです。だからといって相手のことを無視したり、「お前のことキライや」と面と向かって言葉にすると、相手は傷ついてしまいます。仕返しされれば自分も傷ついてしまいます。

子ども自身を守るためにも、**みんなが気分よく過ごせる環境づくりを子どもに考えさせる**ことが大切です。

お互いが安心して楽しく学べる教室をつくるために僕が子どもに教えていることは、**気持ちをロジカルに伝えること**です。

具体的に言えば、**「最後まで話を聞く」「反対意見は手を挙げてて発表する」「なんとなくは禁止」**です。

誰かの意見に対して気分が悪くなったときは、「間違ったことを言うな！」とヤジを飛ばすのではなく、最後まで話を聞いた上で手を挙げて、具体的に何が間違っていると思うのかを伝えてもらいます。

たとえば、「和歌山は遊ぶところがないと言っていたけど、山で虫捕りができるし、川でバーベキューもできるし、夏は海水浴もできる。都会ではできない遊びが和歌山ではできると思うけど、どう思う？」などとその理由や根拠をみんなに理解できるように説明してもらうのです。

そうすることで、「嫌いだからあいさつしない」「苦手な人の意見には賛成しない」ではなく、**自分の気持ちと相手への行動を切り分けて考えることができ、嫌いな相手ともよい距離感で付き合えるようになっていきます。**

子どものネガティブな気持ちも 受け止める声かけ

実際に子どもに「あの子キライ！」と言われたときは、どのように対応したらいいのでしょうか？

ここまでお伝えしてきた通り、「そんなこと言わないで」「仲良くしなきゃダメよ」「あの子にもいいところがあるよ」と子どもの気持ちを受け止めずに親の価値観を押しつけたり、考え方を変えようとする関わりは避けましょう。

3つのステップを紹介します。

STEP 1 「嫌い」というネガティブな気持ちも受け止める

まずは、**「気持ちを伝えてくれてありがとう。〇〇ちゃんのことをあまりよく思っていないのね」とイヤなことをイヤと言えたことを受け止めてあげましょう。**

どんな気持ちでも認めてもらえるという安心感が、子どもの心を守る愛着（絆）を形成し、どんなことでも相談できる親子関係をつくっていきます。

STEP 2　子どもの事情を聞く

「どんなところがイヤなのかな？　よかったら教えてくれる？」 と子どものペースを尊重しながら、状況や子どもが体験したことを聞いてあげましょう。

「言いたくないならそれでもいいよ。話したくなったら言ってね」と、無理強いしないことも大事です。

STEP 3　行動を選択する

「そんなことがあったから〇〇ちゃんのことをイヤに思ってるんだね」 と共感した上で、**「どうやったらお互い気持ちよく過ごせるかなぁ？」と質問してみましょう。**

意見が出てこないようであれば、**「自分がイヤだと思ったことを伝えてみる？」「仲良くしたいなら、自分からあいさつしてみるのはどう？」** と提案してみてもいいでしょう。

ただ、最終的にどうするかを決めるのは、子どもです。子どもに責任を持たせることで当事者意識が芽生えていきます。

自分の気持ちにウソをつくのは、子どもにとっても苦しいことです。**嫌いな相手と離れることも選択肢に入れて、「みんながごきげん」に過ごせる関わり方を子どもと一緒に見つけていきましょう。**

POINT

嫌いな気持ちも受け止める！

25

子どもが助けを
求めてきたとき

✕

人に頼ってはいけない

○

誰かに頼ってもいい

「自分で考えなさい」

「すぐ人に頼ってはダメ」

「自分の力でやりなさい」

　子どもが助けを求めてきたとき、このように言っていませんか？

　もしかしたら、あなたの頭の中に「人に助けを求めてはいけない」「自分一人でがんばらなくてはいけない」という考えが染みついているのかもしれません。

　あなたは誰かに家事や育児を頼めますか？

　職場で仕事を人に任せることができますか？

　困ったときに助けを求めることができますか？

　人に助けを求められない背景には、「相手を困らせたくない」「弱みを見せたくない」「ガッカリされたくない」「断られるのが怖い」などがあります。

　幼少期に、親に助けを求めたら「そんなこともわからないの」と叱られたり、「自分で考えなさい」と話を聞いてもらえなかった。そのようなことがあったから、大人になった今でも「きっと断られる」「周りが困るだけ」「助けてくれたとしても喜んでしているわけではない」と感じてしまう人もいるようです。

本当の「自立」は人と助け合えること

　子どもの立場に立って考えてみましょう。

　親が周りに頼らず一人で苦しんでいる姿を見て、子どもは何を学ぶでしょうか？

「助けを求めるのは恥ずかしいこと」「苦しいときも弱音を吐いてはいけない」という価値観が潜在意識に刷り込まれていくでしょう。本心を隠すようになり、人を信じて人に頼ることができなくなっていきます。人とよい関係が築けず社会で孤立してしまうかもしれません。

　無理をしてでも一人で抱え込む生き方を、子どもに教えるべきでしょうか？　誰にも頼らないことが、「自立」するということなのでしょうか。

　「自立」とは、社会で人と助け合いながら、自分らしく輝いて生きていくこと。できないことを教えてもらいながら、自分で考えて行動できること。一人で生きられない弱さを認めて、困ったときに素直に助けを求められること。僕はそのように考えています。

　助けを求めることは、恥ずかしいことではありません。相手に対して「あなたを信頼していますよ」というメッセージです。本当の自立につながるプロセスなのです。
　ですから、**子どもを自立させるためには、安心して助けを求められる環境をつくることが重要です。**

「自分でできる力」と「助け合う力」 両方を身につけてもらうために

　子どもが助けを求めてきたときに、「自分で考えなさい」と言いたくなることもあると思いますが、まずは「〇〇で困ってるんだね。相談できてえらい」と、**頼ってくれたことをほめてあげま**

しょう。

その上で、子どもができることであれば、「**失敗するんじゃないかと不安になっているんだね。ここで見ててあげるから、1回やってみようか?**」と促してみたり、「**この前はうまくできていたよね。あのときはどんな工夫をしていたかなぁ?**」と過去の成功体験をイメージさせて勇気づけてあげましょう。

子どもができないことであれば、「こうやってみるのはどうかな?　一度やってみるから見ていてね。次は、自分でやってみるんだよ」とお手本を見せてあげてもいいし、YouTube の動画や本で一緒にやり方を学ぶのもありです。

また日頃から親が困ったときに、「今、〇〇で困っているの。〇〇を手伝ってくれたらうれしいんだけど……」と**子どもやパートナーに助けを求めたり、自分の弱みを見せる**ことも効果的です。

お手伝いをしてくれたら心を込めて「**手伝ってくれてありがとう。あなたのおかげでうまくできた。本当に助かったよ**」と感謝の気持ちを伝えましょう。

誰かに頼られたり頼ったりする中で、子どもは助け合うことの素晴らしさや上手に助けを求める方法を学んでいくのです。

POINT

誰 か に 頼 る 姿 を 見 せ る !

26

自分の気持ちを
表現できる子になってほしい
と思ったら

✕

親の意見が絶対

それじゃ
おかしいから
こっちにしなさい！

選んでいいって
言ったのに…

◯

どんな意見もまず受け入れる

いいね〜
でも学校には
派手すぎるから
もう少しシンプル
なのにしない？

わかった〜

　学生時代、僕はずっとピエロでした。思っていることを言ったら、周りの気分を害してしまう。波風を立てるとみんなに嫌われてしまう。変なことをやって周りを楽しませて和ませて、バカにされていじられて、そうやって自分の居場所をつくって生きてきました。自分を隠すことで自分を守っていたのです。

　ただ、二人きりになるとずっとふざけてはいられません。真面目な話になればなるほど、仮面が剥がれてしまいます。「本当の自分が知られると、大切な人が離れていくのではないか」と怖かったのです。傷つきたくなかったのです。だから他人と深い関係になることをずっと避けていました。

　幼少期に、自分の気持ちを伝えて親や友人にイヤな顔をされたり、「わがまま言わないで！　みんな我慢してるのよ」と叱られたりした経験があると、思ったことが言えなくなります。

自分の気持ちを伝えられる子になる環境づくり

　また、**矛盾したメッセージを子どもに送ることで、子どもが心を閉ざしてしまうこともよくあります。**
「困ったらいつでも相談するのよ」と親に言われていたのにいざ相談すると、「そんなことは自分で考えなさい」と責められる。

　相談しなかったときには、「なんで話してくれなかったの」と叱られる。そのような「どちらを選んでも叱られる」という状況（ダブルバインド）に置かれると、子どもはどうしたらいいかわからず混乱してしまいます。

　親のことを信用できなくなったり、親の顔色をうかがうクセがついていきます。親の気分を害さないようにウソをついたり、叱

られるような問題を隠すようになるのです。叱られたり、文句を言われたりするのがイヤだからです。

　自分の本当の気持ちや考えを伝えることは、学校や職場で人間関係を深めるためにも、ストレスを溜め込まずに心地よく過ごすためにも大切なことです。

　それでは、どうすれば子どもが安心して自分の本音を話せるようになるのでしょうか。

　僕は次の２つのことを大切にしています。

① まず受け止める

　子どもが自分の気持ちや意見を伝えてくれたときは、たとえそれが賛成できないことであっても「思っていることを言ってくれてありがとう」と受け止めます。正しいことかどうかは評価しません。

　その上で、**要求通りにできない場合は、「ダメなものはダメ」ではなく、ダメな理由を子どもが納得できるように伝えましょう。**

　相手と違う意見を言うことは相手を否定することではありません。親は子どもの言いなりにならなくていいし、子どもも親と違う考えを持ってもいい。子ども扱いせずに一人の人間として向き合い、対話を通じてお互いが納得する答えを見つけましょう。

　そうすることで、自分の考えを相手に伝える力や違いを受け入れる多様性が自然と身についていきます。

② ダブルバインドをなくす

「自分で選んでいいよと言いつつ、選んだものにケチをつける」

など、**親の発言と行動に矛盾があると、子どもは板挟みになって混乱します。**親に不信感を抱き、本当に思っていることを話さなくなるのです。

「ここのTシャツの中から選んでいいよ」
「遠足のおやつは自分で選んでいいけど、300円以内にしてね」
　など、**子どもが自由に決めていい範囲を明確にしましょう。**数字を入れて伝えるのが効果的です。

　また、前に子どもに伝えていたことと矛盾していると感じたときは、「この前は自分で選んでいいよって言っていたのに、あなたが選んだことに口出ししてごめんね。○○だと少し心配だから、▲▲と□□のどちらかの中から選んでもらってもいいかなぁ?」と**理由を伝えた上で、新たに条件を付け加えるといいでしょう。**

「本音を言いなさい」と言われても、本音は言えません。『北風と太陽』の童話のように、無理強いされてしまうとかえって頑なになってしまいます。
　そうではなく、どんなことがあっても守ってもらえる、味方でいてくれるという安心感を持たせることで、自然に自分の気持ちを打ち明けてくれるようになるでしょう。

POINT

「自分の意見を受け入れてもらえる」
という安心感を与える!

第 5 章

自分で考える力が
身につく関わり方

27

何でも許可を
求めてくる子どもに

✕ 親が許可を与える

これで
遊んでもいい？

いいよ

○ 子どもが自分で決める
サポートをする

1回も遊んでないし
今日はまだ
いいと思う

自分では
どう思うの？

「水を飲んでもいい？　トイレに行っていい？　これで遊んでもいい？」と、何をするにしても大人に確認したがる子がいます。「いつでも水を飲んでいいよ。トイレも行きたいときに行っていいよ」と伝えていても許可を求めてくる。この状態が行きすぎると、何事も自分で考え、自分で決めることができなくなります。

親の許可なく行動したときに「言う通りにしなさい」「まだ子どもなんだから、親にきちんと相談しなさい」「昔はそんな子じゃなかったのに」などと言われた。

このような経験をした子は、「勝手に判断してはいけない」「自分で考えてはいけない」「大人の言う通りにしないといけない」というルールが知らず知らずのうちに身につくこともあります。自分でどうしたらいいか判断できず、親の許可がないと動けなくなり、自分で決める力が身につかないのです。

「自分で決める力」を伸ばすことは 子どもの幸せにつながる

「所得よりも学歴よりも、『自己決定』が幸福度を上げる」

2018年、神戸大学の2万人を対象にしたアンケート調査によって、このような結果が報告されました。親が期待している通りに、いい大学に入っていい会社に就職したとしても、子どもが自分で決めたことでなければ、幸せになれないかもしれません。

子どもの「自己決定力」を高めるには、子どもが自分で決める機会を増やすことが鉄則です。

言いかえれば、親が答えを言わない、親が選ばない、親が決めないことです。

親の役割は、親が考えた正解を子どもにやらせることではなく、子どもが自分で正解を考えて自分で決めるためのサポートをすることです。

「○○してもいい？」と子どもが聞いてきても、**「聞いてくれてありがとう。あなたはどう思う？」**と問いかけてみましょう。

　子どもが考える機会を見守り、子どもが出した答えを否定せずに受け止めてあげるのです。

「そのやり方だとうまくいかない」と先が見えてしまって、口を出したくなる気持ちもわかります。

　でも、**子どもは自分で決めて行動した結果から生きる力を学んでいくのです。たとえ思うような結果にならなくても、自分で決めたことならその結果に責任を持てます。**どうやったらうまくいくだろうと自分の頭で考えるのです。

　しかし、**親が決めたことだと、自分の行動に責任を持たなくなります。**親の言う通りにやって失敗したから自分のせいではないと、問題に向き合わなくなるのです。これでは成長できません。

　また、子どもが決めたことで失敗したときに、親が不機嫌になったりガッカリすると、自分で考えたことに自信が持てなくなります。こうなると、「親の言う通りにやった方がいい」と自分で考えることをやめてしまい、指示がないと動かなくなります。

　自己決定力や責任感を学ばせるためにも、子ども自身が選んで決めた「体験」から学ばせましょう。たとえ親の意に反することであったとしても、「子どもや他人の心・体を傷つけない場合」は、子どもの意見を尊重してあげるのです。

子どもが自分で決めたことで失敗したときも、評価したり責めたりするのではなく、「やってみてどうだった？ どうしたらもっとよくなるかな？」と問いかけて子ども自身に考えさせましょう。

親に相談するべきことを伝えておく

すべて子どもに決めさせるのが不安という親御さんもいると思います。ですので、「**子どもが自由に決めていいこと**」と「**親に相談すること**」を、**子どもに伝えておく**のが効果的です。

子どもの年齢やご家庭の事情によっても変わってくると思いますが、親に相談すべきことの参考例をいくつか紹介します。

・お金がかかること
・一人でできないこと
・（30分）考えてもわからないこと
・他人を巻き込んだり、傷つけてしまったとき
・親と約束していることと違うことがしたいとき

小さなことでいいので、自分で決めて行動することが大切です。その積み重ねによって、自分の人生は自分で決められると思えるようになりますし、自分らしく生きている実感や喜びが湧いてきます。

POINT

自分で決めて行動するという
経験をさせる！

28

子どもが意見を
変えたとき

✕

意見は一度決めたら
変えてはいけない

言ったことに責任を
持ちなさい！

やっぱりやめる…

〇

意見は変わってもいい

そっかあ
どうして変えたく
なったの？

そのあと
考えたらね…

138

■■■ 意見を変えるのはよくないこと？

「自分が言ったことに責任を持ちなさい！」と言っていませんか？

「意見をコロコロ変えると、周りからの信頼を失ってしまう」

「軸がぶれて筋が通っていない（発言と行動に一貫性がない）と大人として失格だ」と、意見を変えることに対して悪い印象を持っている方もいます。

しかし、取り巻く状況やライフスタイルの変化に合わせて、自分の意見や信念を変えることは、これからの時代を自分らしく生きるために大切なことです。

変化の激しいこの社会では、経験したことのない新しいことばかりです。これまでの成功例や自分の発言に縛られていると、現場の声やトラブルに対応できなくなります。

計画を守ることが目的になり、期待している成果が得られなくなったり、本来の目的を見失い、何のために働いているのか、何のために生きているのかがわからなくなります。

もちろん、自分が発言したことに責任を持つことは、周りから信頼を得るためにも目標を達成するためにも重要です。

しかし、計画段階で見えなかったことが、実際にやってみることでわかることが多いのも現実です。

その時々の自分の心の声に従い、環境の変化に合わせて行動する柔軟さが、未来を生き抜く力となります。

■■■ 意見が変わる＝成長の証

　子どもにも、途中で意見を変えることを認めてあげましょう。**意見が変わることは、世界が広がったということです。これまでとは違う視点で考えられるようになった成長の証。**
　夏休みの宿題の計画も途中で変えてもいいし、体験してつまらなかったことはやめてもいい。

　子どもが「やっぱりこうしたい」と意見を変えたときには、**「自分には合わないことがわかったんだね」「考え方が変わったんだね」** などと伝えてあげると、子どもも「意見は変えてもいいのだ」と安心するでしょう（もちろん、すでに料理を作っているのに「食べたいものが変わった」と言う場合や、キャンプや施設・イベントを予約して料金を支払っている場合は、さらに次ページで紹介するような対話が必要ですが……）。

　普段の暮らしの中で、子どもの考え方や視点を広げることも大事です。多様な考え方ができれば、1つの世界で行き詰まっても違う道を選べるからです。
「人生の成功はよい会社で出世すること」などと、1つの考え方に子どもが縛られないよう、たくさんの選択肢の中から自分で選び取る力を身につけさせましょう。

ご愛読ありがとうございます。
今後の参考にさせていただきますので、ぜひご意見をお聞かせください。

本書の
タイトル

| 年齢：　　　歳 | 性別：男・女 | ご職業：　　　　　　　　　　　　 | 月頃購入 |

● 何でこの本のことを知りましたか？
① 書店　② コンビニ　③ WEB　④ 新聞広告　⑤ その他
（具体的には →　　　　　　　　　　　　　　　　　　　　　　　　　）

● どこでこの本を購入しましたか？
① 書店　② ネット　③ コンビニ　④ その他
具体的なお店 →　　　　　　　　　　　　　　　　　　　　　　　　　）

● 感想をお聞かせください
| ● 購入の決め手は何ですか？ |

① 価格　　　　　高い・ふつう・安い
② 著者　　　　　悪い・ふつう・良い
③ レイアウト　　悪い・ふつう・良い
④ タイトル　　　悪い・ふつう・良い
⑤ カバー　　　　悪い・ふつう・良い
⑥ 総評　　　　　悪い・ふつう・良い

● 実際に読んでみていかがでしたか？（良いところ、不満な点）

その他（解決したい悩み、出版してほしいテーマ、ご意見など）

ご意見、ご感想を弊社ホームページなどで紹介しても良いですか？
名前を出して良い　② イニシャルなら良い　③ 出さないでほしい

ご協力ありがとうございました。

郵便はがき

112-0005

東京都文京区水道 2-11-5

明日香出版社

プレゼント係行

感想を送っていただいた方の中から
毎月抽選で 10 名様に図書カード(1000 円分)をプレゼント!

ふりがな お名前	
ご住所	郵便番号 ( ) 電話 (
	都道 府県
メールアドレス	

* ご記入いただいた個人情報は厳重に管理し、弊社からのご案内や商品の発送以外の目的で使うことはありま
* 弊社 WEB サイトからもご意見、ご感想の書き込みが可能です。

明日香出版社ホームページ　　https://www.asuka-g

子どもの考えを深める「哲学者の道具箱」

子どもの考え方や価値観を広げるための問いかけの手法として、ハワイの小学校の哲学の授業で使われている **「哲学者の道具箱」** を紹介します。

哲学者の道具箱（7つの質問）

①**意味**：それってどういうこと？

②**理由**：なんでそう思うの？

③**前提**：そう思う根拠は？

④**含意**：もし〜が本当なら〜ってこと？

⑤**真偽**：それって事実？

⑥**例示**：たとえばどういうこと？

⑦**反論**：でも、〇〇なときは？

対話例

子ども：昼ごはんは給食よりも弁当の方がいいよ。

親：なんでそう思うの？（②**理由**）

子ども：だって弁当だと自分が好きなものが食べられるから。毎日、から揚げ食べたいし。

親：確かに食べたいものがリクエストできるからいいかもしれないね。でも、毎日から揚げを食べると、栄養がかたよってしまって、体に悪くないかなぁ。（⑦**反論**）

子ども：じゃー、弁当に野菜も入れたらいいよ。

親：それってどういうこと？（①**意味**）

子ども：栄養がいっぱい入ってる野菜を入れたら、体にもいいよ

ね。

親：たとえばどういう料理？（⑥**例示**）

子ども：ブロッコリーとかロールキャベツとか。

親：野菜がたくさん入った弁当を毎日作るのは大変じゃない？
（⑦**反論**）

子ども：大変かもしれないけど、弁当の方が給食代より安いよ。

親：弁当の方が安いって思うのはどうして？（③**根拠**）

子ども：給食はたくさんの人数の料理を作ってるから弁当より高いと思う……。

親：それって本当かなぁ？（⑤**真偽**）たくさんの人数分作っているのなら、逆に安くなるんじゃない？（④**含意**）
どちらが安いか、一緒に調べてみようか？

　このように子どもとの対話の中に、「哲学者の道具箱」を交えるだけで、対話に深みと広がりが出てきます。

　子どもの「なんでだろう？　もっと知りたい！」という知的好奇心に火をつけるきっかけにもなるでしょう。

　ただ、子どもの意見に反論ばかりしていると、否定された気持ちになる子もいます。

　なので、「○○だから、そう思っているんだね。あなたの気持ちをもっと知りたいから聞くんだけど……」と一度子どもの意見を受け止めてから質問するのがポイントです。

　子どもが質問に答えられなかったときは、「一緒に調べてみようか」と提案してみましょう。そうすることで、問題が起きたときや疑問が浮かんだときに、どのように調べたらいいかを学習できます。

そして親自身も、自分の意見や決断を変えることを自分に許可しましょう。過ちを認めることや発言を変えることは、とても勇気のいることです。

しかし、親自身がお手本として「意見を変えてもいい」ということを示すことで、子どもは「意見を変える」という選択肢を手に入れることができます。

たとえば、**自分が言ったことと行動が違うと気づいたときや、子どもやパートナーに反論されて自分の意見が間違っていると気づいたときには、「確かにあなたの言う通りだね」と相手の意見を認めます。**

そして、「あのときは○○と思っていたけど、今は△△という考えに変わったよ。その理由は、××だから」と**自分の中の考えの変化とその理由を伝えます。**

そうすることで、相手との信頼関係はより深まり、子どもにも「意見を変えてもいいのだ」ということが伝わります。

POINT

7つの質問で世界を広げる!

29

反抗期の子どもに

✕ 親に口答えをしてはいけない

◯ 言葉の中にある気持ちを
見つける

「ママ（パパ）もしてたもん！」
「この料理まずいから食べたくない！」
「うるさい！　話しかけないで！」

　子どもの口答えや暴言に、イラッとすることはありませんか？「文句を言わずさっさとやりなさい！」と思わず感情的に叱ってしまうこともあるのではないでしょうか。

　小さいときは、何でも親の言うことを聞いてくれたのに……。最近は、何をするにしても「疲れた」「めんどくさい」「やりたくない」「あとでやる〜」って反抗してくる。
　できることなら一緒にいる時間は楽しく過ごしたい。でも、ダメなことはダメと注意しないと、子どものためにもよくないのでは……。そのように戸惑うこともあるでしょう。
　子どもが親の言う通りに動いてくれたらラクですし、イライラすることもなくなるでしょう。ですが、子どもが親に口答えすることは、決して悪いことばかりではありません。

「口答えするな」という言葉の悪影響

　子どもの口答えに対して「口答えをするな」で返してしまうと、子どもの心に親への不満と自分の人生へのあきらめが芽生えていきます。その結果、親に相談することがなくなって親子の間で信頼関係が築けず、暴力や非行に発展するケースもあります。

　そもそも、口答えとは何か、を考えてみましょう。
　口答えとは、親の意見とは違う「意見」を述べることです。

子どもは親への口答えを通して、異なる価値観を持つ他人に対して自分の意見を伝える方法や、周りからの圧力に対して人間としての尊厳を守る姿勢を学びます。

　そして、暴力に頼らずに対立や問題を解決する対話力も学んでいきます。

　大人から見ると屁理屈でめんどくさいかもしれませんが、「どうやったらうまく意見を伝えられるか」「どうやったら納得してもらえるか」など子どもなりに論理的に伝える練習をしているのです。

　ときには傷つくことを言われて、ショックを受けることもあるでしょう。でも、それも友だち関係や学校生活での疲れやストレスを発散するガス抜きの効果もあります。

　受け止める方は大変ですが、わがままを言っても見放されないという絶対的な安心感と信頼があるからできることなのです。

■　「口答え」を"考えさせるきっかけ"に

　口答えも子どもの成長の過程だととらえて、これまでとは違った対応の仕方を見つけていきましょう。僕が実践している子どもの口答えへの5つの対処法を紹介します。

① 子どもに上から目線で一方的に指示をするのではなく、なぜそれが必要なのかを子どもが納得できるように説明する
② 子どもの口答えや暴言を最後まで聴いて受け止める
③ 子どもの口答えに対して、すぐに感情的に反論するのではなく、まずは質問をして子どもの言葉の裏側にある本当の気持

ちを理解する

④ 子どもの意見を聞いた上で、してほしい行動を具体的に伝える

⑤ 話し合いができる状態でなければ、時と場所を変える

（例）「ゲームで盛り上がっているときに口出しされたくないのかな？ キリがいいところまでゲームをしたいんだね。その気持ちはわかるよ。でも、遅くまでゲームをやりすぎて、明日までにちゃんと宿題が終わるか、心配しているの。いつから勉強を始めるかだけ、決められる？　そうすればゲームを続けてもいいよ」

「指示をして行動させる」ではなく、「問いかけて思考させる」へ。もちろん受け流せない言葉に対しては、子どもの気持ちを理解した上で、「あなたが口出しされたくない気持ちもわかる。でもそんな汚い言葉を言われるとママ（パパ）は本当に悲しい」と、自分の気持ちを積極的に伝えることも大事です。

　その上で、「口出しされたくないときは、落ち着いてその理由も教えてくれたらうれしいな」と、**相手の気持ちを尊重した意見の伝え方**も教えるといいですね。

　親に反対意見を言うのは成長の証です。子どもの言葉に反応する前に、今、論理的に話す・意見を伝える練習をしているのだな、と理解してあげましょう。

POINT

「口答え」も成長の証と受け止める！

30

わからないことを
聞いてきた子に

✕

「自分で考えなさい！」と言う

○

「わからないことを聞けて
えらい！」とほめる

「そんなことぐらい、いちいち聞かないで自分で考えなさい！」
「今は忙しいからあっちに行って！」
「なんでそんなこともわからないの！」

　親に何を聞いても文句やダメ出しばかり。結局、「自分で考えなさい！」と言われて、まともに向き合ってもらえなかった。
　そのような体験をすると「わからないと言ったら嫌われる」「質問すると相手の迷惑になる」「わからない自分はダメなんだ」と感じるようになります。
　本当に、わからないことを聞いてはいけないのでしょうか？

■ 「わからない」と言えることも大切

　勉強面で言えば、わからない問題をそのままにしていると同じミスを繰り返してしまい、なかなか成績は上がりません。
「もういいや」と途中で投げ出してしまったり、勉強への苦手意識を持つようになるでしょう。
　仕事なら、わからないまま進めれば、「なぜもっと早く相談しなかったんだ」と言われるような大きな問題に発展しかねません。

　もちろん自分で考えることは重要です。人から答えを教えてもらってばかりでは、自分で答えを導き出す力が育ちません。わからないことを自分で調べる方法を身につけることも大切でしょう。
　しかし、**子どもが人に聞いてはいけないと思ってしまうと、上手に人に頼ることができず、本来持っている力を社会で発揮できなくなります。**

自分で考えてわからないことは、一人で解決しなくてもいいのです。誰かに頼ってもいいし、誰かに聞いてもいい。

　この世界のあらゆることを完璧にマスターするのは不可能です。自分が苦手なことは、誰かの得意なこと。知らないことはそれを知っている人に聞いて、自分が得意なことで社会に貢献すればいい。様々な意見を聞いた上で、最終的に決めるのは自分であり、その結果の責任を取るのも自分。

　そのようなスタンスで子どもと関わることで、子どもも困ったときに誰かに助けを求めながら、自分の行動に責任を持って物事を進められるようになります。

自分でできる力も育てる声かけ

　子どもが答えを求めてきたときの対応方法を2つ紹介します。

① 子どもの不安を言葉にする

　不安を抱えた状態では冷静に考えることができないので、まずは子どもの不安を受け止めてあげましょう。

　また、人に聞くことは勇気のいる行動です。相談できたことをほめてあげましょう。

「わからないことを聞けてえらい。友だちとケンカしてどうしたらいいかわからなくて落ち込んでいたのね」

② 子どもができることかどうかを判断する

　相談されたことを子ども自身で解決できる能力があるか、解決する方法を知っているかを見極めることが大切です。

子どもができること

共感 ＋ 提案（子どもにさせる）＋ 勇気づけ

「友だちと仲直りできるか不安なんだね。でもこの前弟と仲直りできたの知ってるよ。そのとき、自分から謝って遊びに誘っていたよね。同じようにやってみるのはどうかな。あなたならできると思うよ」

子どもができないこと

共感 ＋ 指導（お手本を見せる）＋ 勇気づけ

「大人でも仲直りするのは難しいことだけど、練習すればできるようになるよ。相手役になってどう伝えたらいいかを教えるから、一緒に練習してみようか？」

子どもができるようになったポイントを観察して、「うまく気持ちを伝えられるようになったね」などとほめることも忘れずに。親もわからなければ、一緒に誰かに相談することを提案してもいいですね。

「自分で考える力」と「わからないと認める勇気」は、どちらも大切なライフスキルです。「自分で考えなさい」「言う通りにしなさい」ではなく、子どもの成長に合わせて関わり方を変えていきましょう。

POINT

**わからないと
言えたことをほめる！**

31

子どもの自由な発想力を
伸ばすために

✕

正解は1つしかない

ねえ、なんで
空は青いの？

そういうもんなの！

○

自分が納得する答えを
見つける

うーんとね…

おぉ〜っ
いいところに
気づいたね
なんでだと思う？

さて問題です。

カメがウサギに競争で勝つには、どうしたらいいでしょうか?

もちろん教科書に正解はのっていません。教室でこの問題を出したら、子どもたちが目を輝かせて答えてくれました。

「マリオに蹴ってもらう」
「カメが筋トレをする」
「海で競争する」

このような、大人の頭ではなかなか思いつかない柔軟な子どもの発想にどのようにリアクションをするかが、子どもの考える力を伸ばす鍵になります。

子どもの頃は、親の言う通りにすればほめてもらえます。テストでよい点を取れば、先生が認めてくれます。

しかし、社会に出れば、言われたことをやっているだけでは評価されません。相手の期待以上の価値を生み出すことが求められます。便利で豊かな現代では、相手が困っている問題を見つけることすら難しい。待っていても宿題を出してもらえないのです。

「AIやロボットによる自動化が進み、10年後には現在の半数近くの職業がなくなる」という、オックスフォード大学が発表した論文も話題になりました。

正解のある答えを導き出す力やたくさんの情報を暗記する力ではコンピューターに勝てる人間はいません。今正しいとされている正解をひたすら覚えたとしても、それが役に立つかどうかはわかりません。

先生が話していることを書き写してそれを覚えているだけでは、これからの社会で仕事を見つけることすら難しいのです。

これまでの正解にとらわれず、「なんでだろう？」と大人が突きつける答えに疑いを持って、自分や周りがしっくりくる答えを導き出すことが、これからの時代で求められているスキルです。

世の中の「正解」を押しつけない

「自分の意見を人に聞かれるのが苦手」
「他の子の親と比べて自信をなくしてしまう」
「子どもが他の子と違って不安になる」
　このようなことはありませんか？

　正解が1つしかないと思うと、間違うことを恐れてしまいます。正しく育てないといけないと思うと、「こうあるべき」に縛られて、自分らしい子どもとの関わりを見失ってしまいます。
　そして、知らず知らずのうちに子どもにも、世の中の正解を押しつけてしまうのです。

　子どもが自分で考えて自分が納得する答えを導き出すために、僕がクラスで工夫していることは、「**ジャッジしない**」「**答えを教えない**」「**子どもの疑問を大事にする**」ということです。
　子どもの行動や発言に対して評価をしないという姿勢が大切です。**大人がいいか悪いかを決めてしまうと、大人が考えていることが正解、となってしまいます。**そうなると、自分の頭で考えずに大人が持っている正解を探すクセがつき、言われたことしかできない子に育っていきます。

　子どもが「なんで○○なの？」と聞いてきたら、軽く受け流さずに、**「いいところに気づいたね」と、疑問を持ったことをほめてあげましょう。自分の答えを伝える前に、「あなたはどう思うの？」と聞いてあげてください。**

　どんな答えが返ってきても、否定しない。自分の意見を言うことは、とても勇気のいることです。その勇気を抱きしめてあげましょう。

　これからどんな時代になるのかは、誰にもわかりません。

　しかし、何が起きても、どんな環境に置かれても、自分が納得できる答えや生き方を見つけることができれば、自分らしくたくましく幸せに生きていけるのではないでしょうか。

　あなたは、「LOVE」をどう訳しますか？

　僕は、相手の存在を無条件に肯定すること、と訳します。子どもを愛するとは、子どもの存在を無条件に肯定すること。何か特別なことをしなくても、ありのままの子どもを受け入れて、ありがたい存在として感謝することです。

　自分が納得できる「LOVE」が言葉になると、子どもとの関係性や関わり方が変わっていくでしょう。

　世の中の正解ではなく、自分が納得する答えを見つけていきましょう。

POINT

答えを教えるのではなく、
自分の答えの探し方を教える！

32

スマホやタブレットを
使いたがる子どもに

✕

ネットを使ってはダメ

なんで！

危ないから
使っちゃダメ✕！

◯

ネットを使うときのルールを
一緒に決める

うん！

使うときのルール、
決めておこう

　子どもにスマホを持たせるとトラブルに巻き込まれないか心配。そのような声をよく耳にします。よくわからないから、インターネットやコンピューターは子どもに任せっきりというご家庭も。

「コンピューターには触るな」
　子どもの頃、親からそのように叱られた方もいるでしょう。
「SNSやネットを使ったら危険！」などと、子どもにもネットは使わせないし、大学生になってもスマホを持たせない。子どもを守るためにネットを遠ざけることを選択してきたという方もいるかもしれません。

遠ざけるのではなく 使い方のルールを一緒に決める

　子どもを危険から守りたいという気持ちはわかりますが、これからの時代、世界中の情報にアクセスできるスマホやネットは必需品です。生活でも仕事でもそれらなしでは、現代社会で生き抜くことは難しいのではないでしょうか。
　子育てにおいても、ネットを活用して無料でYouTubeの子ども向け授業や学習教材を活用できれば、家計も抑えられますし学習効果も高まります。

　もちろんネットの世界には様々な危険が潜んでいることも事実です。
　だからこそ、親も子もネットを正しく使う方法を学ぶことが大切です。**何が危険かを理解した上で子どもと話し合って、ネットを利用するときのルールを決めましょう。**
　僕が子どもたちに伝えている、ネットを利用するときの危険と

ルールの一例を紹介します。ご家庭でのルールづくりの参考になれば幸いです。

5つの危険とそれを避けるためのルール

① **個人情報の漏洩**

・公開範囲を設定する

・個人や家族を特定できる写真や情報を投稿しない

② **ネットいじめ（SNS）**

・最初は親と一緒に利用する

・フィルタリング機能で有害サイトを制限する

③ **ネット依存**

・使用時間を決める（目安1〜2時間／日）

・リビングのみなど使用場所を決める

④ **アプリ課金**

・アプリでの課金は原則禁止

・使用の際には親の許可をとる

⑤ **迷惑動画投稿**

・迷惑行為の撮影・投稿・拡散をしない

・他人やお店を撮影する場合は、相手に許可をとる

「もし友だちから、周りに迷惑をかける動画の撮影を頼まれたらどうする？」

「ネット掲示板やSNSに悪口を書かれていることがあったら、相談してね」

「SNSに写真を投稿するときは、名前や住んでいるところが特定できないような写真にしてね」

　などと**実際にトラブルが起きた場面をイメージさせながら、な**

ぜそうしなければいけないのかを説明します。「問題が起きたときは親や先生に相談する」など、**具体的にどうするかを話し合っておくこと**も大切です。

〈トラブルの例〉
・知らない人からメッセージが来る
・自分の悪口がネット掲示板に投稿される
・SNSやオンラインゲームで知り合った人から誘われる
・わいせつな広告が表示される
・ウイルスに感染する

　具体的な問題や対処法がわかれば不要なトラブルも避けられ、不安や心配を抱えることもなくなっていくでしょう。
　そもそも不安を感じるのは、その正体がわからないからです。どこに危険が潜んでいるのかを知り、上手なネットの活用方法を学んでいきましょう。
　リスクのあるものをただ遠ざけるのではなく、危険性を理解させて対処法を教える。それこそが、子どもを守るということです。

POINT

ネットの危険と対処法を
子どもに教える！

33

「学校に行きたくない」と言う子どもに

✕

「学校に行かなきゃダメ」

行きたくない…

みんな行ってるんだから…

◯

「学校以外の選択肢もある」

学校とは違う場所にも行ってみよっか

「絶対に学校に行かなければいけない」 では苦しくなる

「学校に行きたくない」。

　ある朝、子どもが言いました。あなたはなんて声をかけますか?

「そんなこと言わないで」「行ってみたら楽しいよ!」「みんなも行っているし、ママ(パパ)も仕事があるから……」。

　ぐずる子どもをあの手この手で励まして、荷物を持たせて玄関から送り出す。このようなこともあるかもしれません。

　でも、これではその場はよくても、根っこの問題はそのまんま。学校に行きたくないという気持ちには寄り添えていません。**自分の気持ちをないがしろにされ続けると、子どもは心を閉ざしていきます。**

　子どもをなんとしてでも学校に行かせないといけない。不登校になると親失格だ、そのように思っていませんか。

　そのような考えが強いと、「学校を休む」という選択肢を子どもから奪うことになり、子どもの逃げ場がなくなります。

　子ども自身が学校に行きたくないと感じている自分の気持ちを否定したり、行きたくても行けない自分を情けなく思ったりして、自分を嫌いになっていくのです。

　僕は小学5年生のときに、いじめられていました。クラスメートから無視されて、くつを隠されておなかをどつかれました。体の痛みは一瞬でしたが、心はずっと泣いていました。ぼくがいっ

たい何をしたって言うんだ。悲しくて、寂しくて、みじめで、学校に行くのが苦しかったです。

でも、いじめられていることも、学校に行きたくないことも、親には言えませんでした。いじめられることも学校を休むことも、恥ずかしいことだと思っていたので、誰にも知られたくなかったのです。

それから2年間、僕の心は複数の男子に刺され続けました。ズタズタに。「誰もぼくのことを見てくれない」。そんな無価値感や自己否定感を持った状態で、学校生活を乗りきるのは大変でした。

そのようなつらい思いをしてまで、学校に行かなければならないのでしょうか?

■ 「学校へ行きたくない」という気持ちに 寄り添うことが大事

学校へ行かせることだけがゴールではありません。

2019年に国の不登校への対応が大きく変わりました。子どもの事情は関係なく、なんとしてでも学校に行かせるという方針から、子どもに合った教育環境を選択できる体制をつくるという方針に変わったのです。

そもそも学校に行きたくない子を行かせないといけないという法律はありません。心が疲れている子どもを休ませても、あなたが責められることはないのです。

学校に行きたくない理由は、「友だちとうまくいかない」「めんどくさい」「朝、起きられない」「なんとなく行きたくない」など、人それぞれ違います。

「学校に行きたくない」と言う子どもの訴えにどのように向き合うか。これは、子どもの命に関わることです。

「なんで行きたくないの！　みんな行ってるでしょ」と厳しく問い詰めたり、「わがまま言わない！　早く用意しなさい」と無理やり行かせようとするのではなく、**「学校に行きたくない」という気持ちを言葉にすることを許してあげましょう。**

弱音を聴いてあげましょう。悲しみを認めて、子どもに居場所をつくってあげましょう。存在そのものを受け入れてあげましょう。心の叫びを聴いてあげましょう。

理由を話したくないなら、それ以上聞かなくてもいい。話したくない気持ちも尊重してあげましょう。学校に行かないからといって子どもの素晴らしさは変わりません。子どもの価値は変わらないのです。

学校以外の居場所もたくさんある

近年では不登校児の増加により、**民間のフリースクールや適応指導教室など、学校以外で学べる選択肢も増えてきました。**

また、**スポーツやピアノなどの習いごとや学習塾も、子どもの居場所になります。**

お子さんが不登校になった場合は、地域の支援センターや不登校生の親が集まるサークルなどで情報を集めたりして、本人のプレッシャーにならない程度に居場所探しのお手伝いをしてあげましょう。

学校以外にも学べる場がある、自分以外にも不登校で悩んでいる親がいることを知れるだけでも、学校に行かせないといけないという考えがゆるむのではないでしょうか。**とにかく一人で抱え込まないことが大切です。**

また不登校児にとっての一番の苦しみは、学校に行かないことではなくて、学校に行けない自分を自分で責めることです。

　そのような罪悪感を子どもに植えつけないためにも、**気軽につらい気持ちを打ち明けられる関係をつくること**が大事です。

　そのためには、**日頃から親子の間で、楽しい話題だけではなくて、イヤだったことや苦しかったことも話題に取り上げてみましょう。**

　ネガティブな気持ちを一人で抱え込まず、親に伝えられる。そしてその気持ちを受け止めてもらえれば、子どもの苦しみはずいぶんとやわらぎます。

　じっくりと自分自身の心と体と向き合い、本当の意味で休息を取ることができるでしょう。

　「学校を休む」という選択は、その子にとって今必要な休息なのかもしれません。

　不登校は問題ではなく、選択なのです。

　さらに、学校以外に安心していられる居場所があれば、孤独感も癒され、次第に前向きな気持ちを持てるようになっていきます。「学校に行けない」と自分を責めるのではなく、「学校に行かない」と決断できた自分を誇れるようになるのです。

POINT

学校以外の居場所をつくる！

第 **6** 章

自分から動ける子に
なる関わり方

34

失敗して落ち込む子どもに

✕

失敗はよくないもの

どうしたら
できたんだろうね？

○

失敗しても起き上がればいい

…そうなの？

ママもね、
じつはこんな
失敗したの…

本当の失敗は「行動しない」 「失敗から立ち上がらない」こと

「完璧にするべき」「ミスをしてはいけない」「子どもに失敗を見せてはいけない」。

子育てをしている中でこのように感じることはありませんか?

でも、**本当の失敗とは「完璧にできないこと」「ミスすること」「負けること」ではありません。失敗を恐れて行動しないことであり、負けたあとに立ち上がらない、ミスしたあとに反省しないことです。**失敗の先にあるのは、絶望ではなく成長です。

行動してみて、挑戦してみて次の一手が見つかり、またアクションする。そのようなトライアンドエラーの中で、できなかったことができるようになり、わからなかったことがわかるようになり、子どもは新しい知識や能力を習得していくのです。

自分ならできると自信を持てるようになり、思い描いている成功に近づいていけるのです。

「これは失敗ではない。うまくいかない方法を1万通り発見しただけだ」とは、電球を発明したエジソンが残した有名な言葉です。彼にとっての失敗は、ミスをすることではなく途中であきらめてしまうこと。

僕は、子どもたちにこのエジソンの話や僕の昔話を紹介した上で、このように伝えています。

「本当の失敗とは、転ぶことではなく、起き上がらないこと。大切なのは、苦手なことをやらない、勝てる相手としか戦わないことじゃない。最後まであきらめないこと。本当の失敗とは、途中

でやめてしまうこと、全力でやらないことなんだ。エジソンのようにうまくいかなかったことから学んで、練習を繰り返せば、ミスはなくなる。そうすれば、やりたいことが実現するんだ」。

■ 失敗を恐れず挑戦できる子になる関わり方

自分の体験談や偉人のエピソードも交えて、自分の言葉で「失敗論」を伝えましょう。

伝えた言葉に反して、子どもがミスしたり、負けたりしたときに責めてしまうと子どもは混乱してしまうので、「失敗論」と「子どもへの関わり」を一致させることが大切です。

では、失敗して落ち込んでいる子に対して、どのように関わったらいいのでしょうか。

下記は子どもに失敗への恐れを刷り込んでしまうNG例です。

・「そんなことで落ち込むな」と子どもの気持ちを小さく扱う
・落ち込んでいるときに「どうやったら勝てたのだろうね」と解決法を考えさせる
・「うちの子が迷惑をかけてごめんなさい」とコーチやチームメートの親に謝る
・「悔しい思いをしたくないなら練習をがんばりなさい」とすぐに行動させようとする

オススメの関わり方は次の5つです。
① 「負けて悔しかったのかな」などと子どもの気持ちを言葉にして認める
② 沈黙を尊重する（質問責めにして無理に子どもの気持ちを引き出

そうとしない）

③「何かできることがあったら言ってね」と子どものそばに寄り添う

④ 客観的な「事実」や「出来事」を伝える

　子どもが意見を求めてきたら、「シュート5本中1本入った」「ピアノ演奏の前半のテンポがいつもより早かった」などとまずは客観的な視点で伝える。

　試合の結果がわかるスコア表や子どもが映っている動画を見せて、「自分のプレーを見てどう感じた？」と子どもに考えさせるのも効果的。その上で、「左のドリブルを練習すればバリエーションが増えるかもね」「トライしたことに意味があるよ。ナイストライ！」など**率直な意見や失敗論を伝える**。

⑤ どのような行動をするかは子どもの意思を尊重する

　求められれば一緒に改善方法や練習メニューを考える。

　日頃から親が失敗する姿を隠さず見せることも学びになります。成功した結果だけではなく、成長していく過程を見せましょう。

　子どものお手本として間違えてはいけないと思う気持ちもわかります。でも、親もうまくできなくてもいいし、間違えてもいいし、背伸びしなくてもいいのです。

　失敗が許される環境でこそ、子どもの心が育ち、新しいことに挑戦できるようになります。そのままのあなたでいることが、子どものためにもなるのです。

POINT

親が失敗する姿を
子どもに見せる！

35

子どもの行動を叱るとき

✕

「人に迷惑をかけては
いけません!」と叱る

○

どうしてほしいのかを
具体的に伝える

「人に迷惑をかけてはいけません」と言っていませんか？

　僕は、ずっとこの呪いの言葉に縛られてきました。

「お前が金髪にしたら、みんなの迷惑になる」。

　20歳、成人になった年に、部活の仲間と金髪にした僕を見るなり、父親に言われました。

「金髪にしたら誰の迷惑になるの？　ちゃんと説明してほしい」と言い返したものの、言うことを聞かないと学費を払わないの一点張りで、話し合いができませんでした。

「迷惑」という言葉でごまかすな。本当はご近所さんにどう見られるかが気になってるんでしょ。僕は真面目に大学で部活や勉強をして単位も取ってる。もっとまっすぐ僕のことを見てくれよ。心が破裂しそうでした。

「人に迷惑をかけてはいけない」というルールが、日本人の生きづらさの根源にあるのではないでしょうか。

　迷惑と思う基準は、人それぞれ違います。迷惑をかけるつもりがなくても失敗することはあるし、間違うこともあるでしょう。自分の意思を持って行動している限り、誰かの迷惑になることは絶対に避けられません。

　人に迷惑をかけてはいけないと仕事を一人で抱え込んでしまった結果、うつになり燃えつきてしまった人を何人も見てきました。

　子育てにおいても**「迷惑」という言葉で子どもを縛ると、子どもはやりたいことを我慢するようになります。自分の気持ちよりも、周りの顔色をうかがうようになる**のです。

　自分の心にウソをついて生きることを覚えた子どもは、本当の

自分を愛せなくなります。大人が何気なく使う言葉で、成人してからも「助けを求められない」「自分の気持ちを押し殺す」など、子どもの人生を支配してしまうことがあるのです。

「なぜやめてほしいのか」の理由も セットで伝える

　僕の教室では、子どもと関わるときに「迷惑」という言葉を使わないようにしています。その代わりに、「どのようにダメなのか」「何をしてほしいのか」「自分はこう感じた」ということを子どもがイメージできるように具体的に伝えています。

「ろうかを走ったら、他の人とぶつかってケガをするかもしれないから、ろうかでは歩いてもらえるとうれしいな」

「6時までに帰ると約束していたのに、時間を過ぎても連絡がなかったから、心配で怒っているの。今度から約束の時間に帰れないとわかったら連絡してね」

「あなたも大切なおもちゃを壊されたらイヤでしょ。ママも大切なソファーを汚されたらとても悲しいの。だから汚れた手をソファーで拭かないでほしい」

「迷惑」というどのようにも受け取れる言葉ではなく、子どもの行動によって周りがどのような気持ちになるのかを教えてあげましょう。
　そのような関わりの中で、「見た目のことを言うと友だちはイヤな気持ちになる」「約束を破ったら親が悲しむ」と、**相手の気**

持ちを想像した上で自分の行動を選択できるようになっていきます。自分の言動に責任を取る意識が芽生えてくるのです。

人に迷惑をかけてもいい

そもそも、迷惑はかけるもの。僕たち大人も、周りに迷惑をかけながら育ってきました。助けを求めていいし、一人で抱え込まなくていい。言いたいことを言って、やりたいことをやっていい。

ただし、その責任を取るのは自分です。結果を引き受けるのも自分。**自分の行動が周りにどのように影響するかを、実際に動いて反応を見ながら学んでいけばいいのです。**

そして、**自分も助けを求めていいように、困っている人がいれば助けてあげよう。友だちが悩んでいることを聞いてあげよう。**やめてほしいことがあれば、「迷惑をかけるな！」ではなく、**何がイヤなのかを自分の言葉で伝えて、相手とまっすぐ向き合おう。**

そのようなスタンスで人との関わり方を教えていきましょう。

このようなコミュニケーション力においては、すぐに目に見えた変化は得られないと思います。そういうものです。

「何度言ったらわかるの」とゲンナリする気持ちもわかりますが、焦らなくても、あなたのメッセージは、あなたが想いをのせて伝えた分だけ、子どもの心に届いています。そして、子どもの心の中で、確実に育っていますから大丈夫です。

POINT

なぜダメなのかを
具体的に伝える！

36

何度言っても
同じことをしてしまう子に

× 「将来困らないように」育てる

〇 困ってから学ばせる

　よく、「子どもが将来困らないためには、どんな習いごとがいいでしょうか？」と聞かれます。そのようなとき、僕はこうお伝えしています。
「僕に聞くのではなく、子どもに何がやりたいかを聞くのはどうでしょう？」

　僕にとってはこれが答えです。基本的に、**困らないように学ぶのではなく、困ったときに学べばいい**と考えています。

　子どもには幸せになってほしい、苦労をさせたくない。そのような気持ちがあると思います。
　でも、もしかしてその根っこには、「子どもがよい点数を取らないと自分が否定された気持ちになる」「子どもが苦しんでいるのを見ると、自分のことのように苦しくなる」「自分が困ったから子どもには同じ苦しみを味わわせたくない」といった感情が、潜んでいませんか？

　子どもの成績が悪いことで、あなたの価値が下がるわけではありません。子どもの困りごととあなたの困りごとは別のものです。
　子どもの課題は子どもに解決させる。いつでもサポートすると子どもに伝えた上で、介入しない、干渉しない、口を出さない。
　これが子どもを自立させるための鉄則です。

困ってはじめて本気で学ぶ

　そもそも困ることは、悪いことではありません。生きる力を身につける最良のチャンスです。

「留学したいけど英語ができなくて困った。だから英語を勉強しよう」「起業したいけど、経理のことがわからなくて困った。だから経理のセミナーに参加しよう」など、これまで僕はやりたいことを見つけるたびに、たくさんの問題や困りごとにぶち当たってきました。やりたいことのために必要だからこそ、能動的に学ぶことができたのです。

子どもは困ることで自分の人生に責任を持ち、本気で学ぼうと行動します。
「忘れ物をする」「自分から片づけをしようとしない」など、何度言っても同じ失敗を繰り返すのは、子どもが困っていないからではないでしょうか。

　子どもが困る前に親が解決していませんか？　失敗する前に、言って聞かせようとしていませんか？

　家族の共依存について研究している医学博士ジェニファー・シュナイダーはこのような言葉を残しています。

「私たちが人生で人々を助ける一番いい方法は、本人が自分の犯した間違いから何かを学ぶ自由を奪わないこと」

問題が起きないようにするのではなく、起きてしまった問題から学ぶ自由を与えましょう。
「痛み」を体験させてから、サポートするのです。

　忘れ物をしたから授業に参加できずに困った。その体験で、次からは忘れ物をなくそうと、自分で考えるようになります。

　片づけをしないことで、大切なおもちゃが見つからず悲しかっ

た。だからおもちゃの置き場所を決めようと動き出すのです。

痛みを知ることで、「もうあんな思いはしたくない」と心から思う。ここが出発点となって、子どもの行動が変わっていきます。

困らないように学ばせるのではなく、困ってから学ばせる。**「○○しなかったら、将来苦労するよ」「こうやったらうまくいくよ」と不安を煽ったり先回りして問題を解決するのではなく、子どもに失敗をどんどん体験させましょう。**

「トゲ」が刺さって「トゲ」を抜きたいという意志が芽生えるまで、放っておきましょう。子ども自身が助けを求めるまで、待つのです。

もちろん、生命に関わることや周りの人を傷つけるようなことがあれば、積極的に介入するべきです。

でも、それ以外の場合は子どもに任せて、「何かあったら声をかけてね」くらいにしておきましょう。口を出したくなる気持ちをグッとこらえることが、親のミッションです。

POINT

子どもが困ってからサポートする!

37

「〇〇買って」とねだる子に

✕ お金を使ってはいけない

あれ買って！

ダ×！
お金ないんだから

◯ お金の使い方を学ばせる

ほんと!?
３００円かぁ…

３００円までなら
お菓子
買ってもいいよ

「買って〜」と言ってきたら 金銭感覚を学ばせるチャンス

「お菓子買って〜」と子どもがおねだりをしてきたときに、「うちは貧乏だからダメ」「お金がないからまた今度ね」と言ったことはありませんか?

　何気なく言ってしまう言葉ですが、子どもの感受性は素直なので、「欲しいものを言ったら親を困らせてしまう。やりたいことを我慢しないといけない」と受け取ってしまいかねません。

　他の子ができることでも、「自分には無理だ。お金がなくなるのが怖いから、お金を使ってはいけない」と過剰に思い込んでしまうことがあります。

　このようなお金に対する罪悪感を子どもに植えつけてしまうと、大人になってからお金で苦労することになります。

　子どもに教えたいことは、「お金を使ってはいけない」ではないはずです。

　お金には限りがあることを子どもに知ってほしい。親が一生懸命働いて得たお金を、無駄遣いしてほしくない。お金を大切に使ってほしい。このような想いがあるのではないでしょうか。

「お金がないから我慢しなさい」と言われると「お金がないから買えない」と子どもは思ってしまいます。

　お金があるなしにかかわらず、自分に必要かどうかで判断できる金銭感覚を養っていきましょう。

　「必要でないものは買わない」という選択ができる力です。

子どもの金銭感覚を養うには、日頃から次のようなイメージで
お金の話を避けずに、話題に出すことがポイントです。

① お金は働くことで得られることを教える
「ママやパパはお仕事をすることで、お金をもらっているんだ
よ」
「あなたも大人になって働いたら、お金がもらえるんだ」
「マクドナルドのお兄さんは、1時間にどれくらい給料をもらっ
ていると思う？」

② 生活にお金がかかることを教える
「先月の電気代はどれくらいだと思う？」
「今日の買い物は全部でいくらでしょう？」
「蛇口の閉め忘れに気をつけてくれたから、今月の水道料金が
500円下がったよ」

③ 予算内でやりくりさせる
「今日は300円分のお菓子を買っていいよ」
「スイミングをやりたい気持ちはわかるけど、たくさん習いごと
をしているから、このままだと予算オーバーになっちゃうの。何
かをやめるか、スイミングをあきらめるか、あなたが決めてね」

◤ 使いながら学ばせる

　高学年になればお小遣い制にして、自分で管理させるのもオス
スメです。定額制にしておいて特別なお手伝いをしたときにはボ
ーナスが得られるという仕組みもありですね。

お小遣いの範囲内で子ども自身に自由にやりくりさせます。もちろん足りなくなっても一円も渡してはいけません。

無駄遣いをすることもあると思いますが、ルールを守っているのであれば、子どもが買ったものには口出しをしないのが鉄則です。グッとこらえて見守るのです。

子どもの買ったものに価値があるかどうかを親が判断するのではなく、子ども自身が「無駄遣いだった」と感じることが重要です。**自分で考えて失敗した経験を通じて、計画を立ててお金を使うことの大切さや物の価値を学んでいきます。**

お金を使わないと、お金を使う方法は学べません。

貯めたり節約したり、お小遣いを稼いだりしながら、欲しいものを買う経験を通じて、自分を幸せにするお金の使い方を身につけさせましょう。

POINT

お金を使うことで
金銭感覚を学ばせる！

38

子どもが退屈そうに
しているとき

✕

子どもを楽しませなくては
いけない

ひま…

動画でも観る?

◯

「楽しい」を自分でつくる
体験をさせる

ダンボールなら
あるよ

何を
作ろうかな?

「どうやって子どもを楽しませよう？」

　スクールを立ち上げてから、ずっと考えていたことです。あの手この手を使って子どもたちを盛り上げました。子どもたちは、「もっとやって、もっとやって〜」と喜んでくれました。

　そして、ある日、授業を受けていた生徒が、「これおもしろくない！　もっとおもしろいことをやってよ！　ぼくを楽しませてよ〜！」と、つまらなそうな顔で言ってきたのです。

　その態度に少しカチンときましたが、冷静に考えてみると、子どもに罪はありません。僕が子どもに与えすぎ、自分から動かなくても楽しめる環境をつくっていました。楽しませよう喜ばせようと必死になりすぎて、自分から動く原動力になる、子どもの好奇心を奪っていたのです。

　これでは生きる力は育ちません。自分で考え、仲間と協力し、試行錯誤の中で新しい価値を生み出していく、そのような力が養われていかないのです。

　ないものを嘆くのではなく、あるもので楽しいことを生み出す力を育てたい。子どもを楽しませようとするのではなく、子どもと一緒に「楽しい」をつくっていこう。この出来事をきっかけに、スクールの指導方針を大きく変えることになりました。

■ 楽しみではなく余白を与える

　あなたは子どもに与えすぎていませんか？

　退屈な子どもを見ると、親が楽しませてあげなければと、必死

になっていませんか？

　子どもに「楽しい」を与え続けていたら、自分で考えて行動する力が育ちません。

「遊園地がないからつまらない」「おもしろいところに連れて行って〜」「ゲーム買って〜」などと親や周りの環境に依存してしまい、自立できなくなります。条件が整わなければ、自分の心を満たせない生き方が染みついていくのです。

　逆に、自分で「楽しい」をつくり出す力があれば、これからどんな時代になっても、どのような環境で生きることになっても、生きる喜びを見出して、自分らしくたくましく生きていけます。自分の幸福を自分で生み出せるのです。

　そのためには、「与えすぎないこと」と「退屈を奪わないこと」が鍵になります。何もない環境だからこそ、子どもの中で何かを生み出す力が発動します。退屈な時間が苦痛だから、「どうやったら楽しめるだろう」となんとかして楽しいことをつくろうと動き出すのです。

　おもちゃやゲームを買ってあげて、親が子どもを楽しませる。スマホを渡して YouTube を観せて黙らせる。

　そのような関わりが行きすぎると、子どもは自分から動かなくなります。自分で考えなくても楽しいものが与えられるからです。

子どもが自分で「楽しい」を生み出す環境づくり

　自分から動き出さないと、楽しい体験ができない環境をつくりましょう。親が必死になって子どもを楽しませなくてもいいので

す。ディズニーランドに連れて行かなくても、公園でも、原っぱでも、おうちでもいい。子どもが楽しめるかどうかの責任は、親にはありません。人生を楽しいものにするかどうかは、子どもの責任なのです。

子どもにその責任を持たせることで、自分ごととして考え始めます。退屈に過ごすのも楽しく過ごすのも自分次第、そのような感覚が育っていくのです。

もちろん、お金で買える楽しさもあり、いろいろなことを経験させて選択肢を広げることも、子どもの教育において大切です。

でも、それと同じくらい、**誰かに与えられる「楽しさ」に依存せず、「やってみたい！」という好奇心に突き動かされるまま没頭し、試行錯誤して「楽しい」をつくる体験は大切です。**それはこれからの時代を生きていく武器になります。

たとえ遊園地がなくても、たとえ学校に行けなくても、「楽しい」は自分でつくれる。そのような自信があれば、どこに行っても充実した毎日を過ごせるでしょう。どんな環境でも楽しめることが、幸せに生きていくための秘訣です。

退屈そうにしている子どもの相手をしなくてもいいのです。放っておいていいのです。心配しなくても大丈夫。親が動かなくとも、5分もすれば子どもは勝手に楽しみますから。

POINT

子どもに退屈を与える！

第 7 章

子育てがみるみる
ラクになる考え方

自分の子育てに
自信が持てないとき

✖

正しい子育てをするべき

理想…

⭕

自分らしい子育てを見つける

これがゴール！

自分の気持ちを
大切にできる子

私に子どもをちゃんと育てられるのだろうか。

自分の親のようにならないだろうか。

こんな未熟な私が親になっていいのだろうか。

このような不安を感じることはありませんか？

子育てに正解はないとわかっていても、自分の子育てに自信が持てない。他の子と比べてできていないことが見つかれば、育て方が悪かったのではと自分を責めてしまう。

子育て本を読んで子育て講座にも参加して、言われた通りにやってみても、子どもは思った通りに動いてくれないし、言うことを聞いてくれない。イライラがつのるばかりで、子どもがかわいいと思えない。子育てがつらい……。

このような自己嫌悪や自己否定に襲われることもあるのではないでしょうか。

子育てに不安を抱えているのは、あなただけではありません。子どものことが大切だから、幸せになってほしいから、焦ってしまうのです。他の親と比べたり、育児書通りにできない自分を責めたりしてしまうと、心に余裕がなくなります。おだやかな気持ちで子どもと関われなくなるのです。

■ 自分なりの子育てのゴールを設定する

このように人と比べて不安になってしまうのは、子育てのゴールやビジョンが描けていないことが大きな原因です。

ジグソーパズルの完成図がない状態でパズルを組み立てようとしても、どんなピースを集めたらいいかわかりません。「これを

やったらいいよ、あれをやったらいいよ」という周りの声に振り回されて、必要のないピースを集めてしまいます。

　完成形を描けていないと、たくさんのピースを集めても、「この子は大丈夫なのか」と焦ってしまうのです。

　まずは、子育てのビジョンを明確にしましょう。ジグソーパズルの完成図を目の前に置くのです。ゴールが決まれば、迷うことなく自分のペースで前に進めます。

自分の子育てが具体的になる「ビジョンツリー」のつくり方

　今回は、子育ての軸になるビジョンツリーの作り方を、３つのステップで解説します。

ステップ1　子育てのゴールを言語化する

　どのような子になってほしいですか？

　子どもに名前をつけたときのことを思い出してみてください。どのような願いを込めて、その名前に決めましたか？

　自分を幸せにできる子、自分で決めたことをやり抜く子、自分らしくたくましく生きる子など、**子どもの５年後、10年後を「〇〇な子」という形でひとこと化しましょう。**

　ひとことで表現できたら、「〇〇な子とは、どんな子？」と自分に問いかけ、「イヤなことはイヤとはっきり言う」「困っている人に手をさしのべる」「自分の気持ちを大切にする」など、その特徴を箇条書きでいいのでたくさん書き出してみましょう。

　「『ワンピース』のルフィーのように仲間を大切にする」など、

有名人やアニメのキャラクターなどをロールモデルにしても想像
しやすいかもしれません。

ステップ2 子どもに身につけさせたい能力を決める

　〇〇な子になるためには、どのような能力が必要ですか？

　ステップ1のゴールに到達するために必要な能力を紙にたくさ
ん書き出して、4つに絞りましょう。

　これが子どもとの関わり方を決めるコンパスになります。迷っ
たときに進むべき道を示してくれるものです。

（能力の例）

　自己肯定感、思考力、コミュニケーション力、問題解決力、主
体性、目標達成力など

ステップ3 子どもと関わるときのセブンルール（7つの行動指
針）をつくる

　ステップ2で考えた4つの能力を伸ばすために、親として具体
的にどんな関わりができますか？

（関わり方の例）

・「思考力」を伸ばすために、口出しするのはやめる

・「自己肯定感」を高めるために、子どもの意見も聞いてみる

・「目標達成力」を育てるために、夏休みの目標を立ててもらう

　育児書や周囲の人の意見を参考にしながら、まずは行動指針を
書き出して、セブンルールとして7つに絞っていきます。あとか
ら変えてもいいので、1週間くらいで完成させてみましょう。

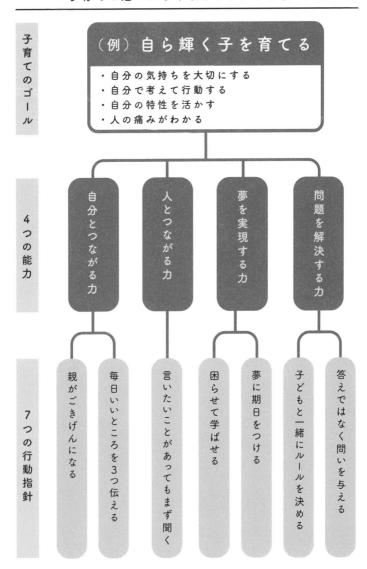

子育てのゴール

（例）自ら輝く子を育てる

・自分の気持ちを大切にする
・自分で考えて行動する
・自分の特性を活かす
・人の痛みがわかる

4つの能力

自分とつながる力

人とつながる力

夢を実現する力

問題を解決する力

7つの行動指針

親がごきげんになる

毎日いいところを3つ伝える

言いたいことがあってもまず聞く

困らせて学ばせる

夢に期日をつける

子どもと一緒にルールを決める

答えではなく問いを与える

このセブンルールを意識して子どもと関わり、習慣にしていけば、自分らしい子育てが自然にできるようになっていきます。

パートナーと一緒につくると、子育ての価値観を共有できるのでオススメです。

また、絶対にビジョンツリー通りに育てなければと思うと、親も子も苦しくなります。**無理しない、縛られない、子どもやパートナーに押しつけない**、これが大切です。

ビジョンツリーを３ヶ月に一度は見直し、子どもと関わる中で必要だと感じたことを加えたり入れ替えたりしながら、ブラッシュアップ（よりよいものに）していきましょう。

登りたい山が決まって、進むべき道が見えたら、あとは何度も繰り返し、毎日前に進むだけです。

子育ての軸が明確になれば、迷うことも、どこかの誰かに振り回されることもなくなっていくでしょう。

正しい子育てなんてどこにもありません。ビジョンツリーを描き、セブンルールを１つずつ実践しながら、親も子も幸せになる関わり方を見つけていきましょう。

POINT

子育ての軸になる
ビジョンツリーをつくる！

40

イライラしてしまう自分を
責めそうになったら

✕

親がイライラしてはいけない

◯

親もイライラしていい

「もっと優しく言えたらよかったのに」
「なんであんなことを言ってしまったんだろう」

　子どもを感情的に叱ってしまったことを、あとで反省するということはありませんか？

　子どもにはおだやかに接したいし、何度も注意したくないと思う気持ちもわかります。本当は優しくしたいのに、つい怒鳴ってしまう自分に落ち込むこともあるでしょう。

　まず知っておいてほしいことですが、イライラそのものは、悪い感情ではありません。

　イライラはあなたの大切な感情であり、あなたが発する心の声です。だからイライラをなかったことにしてはいけません。

イライラを抑えるのではなく うまく付き合うことが大切

　無理に抑え込もうとしたり気持ちを切り替えようとしたりするよりも、「今私はイライラしている」と認めて感じきった方が、早くイライラから解放されます。

　親であってもイライラしていいのです。ただ、**それをどう表現するのかは、工夫が必要**です。

　イライラの根っこにある自分の本心を理解した上で、正しく相手に伝える方法を身につけましょう。まずはどのようにして、イライラが湧いてくるかを理解することが大事です。

　イライラは自分が持っているルールが裏切られたときに湧いてきます。ここでのルールとは、自分が正しいと信じている信念や

価値観です。心理学では、「**べき思考**」とも呼ばれています。

　子どもにイライラするのは、「男の子は外で遊ぶべき」「出したおもちゃは片づけるべき」「朝は時間通りに起きるべき」など、自分のルールや期待通りに子どもが動かなかったときです。

　イライラの感情と上手に付き合い、相手を傷つけずに自分の気持ちを伝えるには、自分がどんなルールを持って子育てをしているかを知ることが大切です。

　そのためにオススメなのが、イライラを記録する「**アンガーログ**」です。イライラを感じたときに、下記の①–⑤をノートに記録してみましょう。

【アンガーログの例】

① 日付：6/14

② 出来事：弟のおもちゃを兄が横取りしてケンカになった。

③ ルール（べき思考）：兄弟は仲良くするべき、人の物をとってはいけない

④ ルールの重要度（1-3）：3（とても重要）

⑤ イライラ度（0-10）：8（めっちゃイライラ）

　アンガーログで見つけたルールの中には、幼少期の親との関係性の中で身につけたものもあるでしょう。それは、親に叱られないため、ほめてもらうために編み出した生存戦略でもあります。

　でも、あらためて自分に問うてみてください。これからもそのルールを握りしめて生きていきますか？　そのルールを子どもにも守らせるべきでしょうか？

　家族は外の世界から切り離された小さな社会です。親の価値観

やルールが、そのまま家族の法律になります。子どもは親に嫌われないように、自分の気持ちを押し殺してでも、その法律に従おう、いい子になろうとするのです。

ルールを手放すかどうかの3つの基準

① 長い目で見て子どもとの関係をよくするものか
② 子どもとあなたの心を安心させるものか
③ 子どもとあなたを幸せにするものか

この3つの視点でひとつひとつのルールを点検し、いらないものは少しずつ手放していきましょう。

もちろん、子どもにもルールやこだわりがあります。その多くは、子ども自身がはっきり言葉にできないものなので、うまく伝えることができません。

ムスッとした顔をして無視する、「うるさい！」と声を荒げて反抗する。これはまさに、親とは違う、子ども自身が大切にしている価値観があることの表れです。

家での過ごし方や勉強の進め方など、**一方的にルールを伝えるのではなく、「リビングで勉強したいのね」**などと子どもが大切にしたいことや価値観を言葉にしてあげましょう。その上で、お互いが心地よく過ごせる家族全体のルールをつくっていくのです。

POINT

アンガーログをつけて、
いらないルールを手放す！

41

子どもが傷つかないように
先回りしそうになったとき

✕ 子どもが傷つかないよう守る

うーん
やめた方が
いいんじゃ…

やってみたい!

◯ 子どもの挑戦をサポートする

「子どもがやりたいと言ってきたことを、素直に応援できない自分がイヤになります」。

このような相談を受けたことがあります。

この子には難しいのではないか。失敗すると立ち直れないのではないか。友だちに嫌われて仲間はずれにされないか。

そういったことが頭をよぎり、子どもの気持ちを尊重したいと思いつつも、「やめた方がいいよ」と言ってしまうようです。

■ 子どもを守りすぎることのリスク

何でもかんでも親が先回りして、ネガティブなことを子どもの前から取り除くと、自分で危険を察知する力や挫折を乗り越える力が育たない。

失敗をせずに大きくなると、社会に出て上司に叱られたときやささいな失敗で心が折れてしまう。

親が心配しすぎると子どもは親に信じてもらえていないと感じ、自分のことを信じられなくなる。

そのようにわかってはいても、子どもの行動を黙って見守ることができないのです。

この背景には、「子どもに傷ついてほしくない」という不安や恐れがあります。

子どもを危険から守りたいというのは自然な感情ですが、行きすぎると子どもの好奇心や主体性、挫折を乗り越える力を奪ってしまうこともあります。

子どもが悲しんでいる姿や苦しんでいる姿を見るのがつらい気

持ちはわかります。

しかし、**困難を乗り越える力やストレスを受けても立ち直る力（レジリエンス）を育むためには、子どもの挑戦をサポートすることが大切です。**

挑戦をする中で、「友だちに強く言いすぎてしまった……。あとでフォローしておこう」「これ以上練習をしたらケガをするから今日はやめておこう」「失敗してもやり直せるから大丈夫」などと、人間関係のトラブルの対処法や自己管理術、そして、打たれ強さが養われていくのです。

子どもに「傷ついてほしくない」と感じる理由を探る

そもそもなぜ「子どもに傷ついてほしくない」という感覚が湧いてくるのでしょうか。

それはあなたが過去に傷ついたことがあるからかもしれません。「ネット掲示板で悪口を書かれた」「学校でいじめられて無視された」「発表会でミスをしてバカにされた」「勉強ができなくて親から叱られた」「自分だけ友だちに誘われなかった」など、思い出すだけで胸が苦しくなる経験はありませんでしたか？

もしかしたら、そのときに傷ついた自分が、「やめといた方がいいよ」と子どもにブレーキをかけているのかもしれません。

子どものためにできることをしてあげたいという気持ちもわかりますが、まずは自分の「痛み」を癒しましょう。

そうしないと、「あなたのために言っているのよ」と言いつつ、子どもを通じて自分の「痛み」を癒そうとしたり、「痛み」に触れるようなことがあれば「悲しむところを見たくない」と避けて

しまうようになります。

「傷つくことへの恐れ」がやわらぐ「グリーフワーク」

　自分の心の「痛み」をやわらげるための5つの質問を紹介します。心理セラピーで傷つき体験を受けた方に効果が認められたグリーフワークの簡易版です。

　誰にも見せないノートを用意して、気持ちや考えが湧き出るまま書き出していきましょう。書くよりも話すのが得意であれば、音声で録音してもOKです。

（注意：当時の経験があふれてくることがあるので、少しでも苦しくなったらためらわずに中断してください）

① 「子どもに傷ついてほしくない」と子どもの行動にストップをかけることで、何から自分を守っているのですか？
　　そうしないとあなたはどうなりますか？

② ①と感じる背景には、どのような出来事や体験が過去にありましたか？　誰にどのようなことを言われましたか？

③ そのとき、どのようなことを考えて、どのような気持ちでしたか？

④ 本当はどうしてほしかったのですか？　本当はなんと言われたかったですか？

⑤ そのときの自分と同じように傷ついている子どもがいたら、あなたはなんと声をかけますか？　どんなことをしてあげますか？

　子どものときは、自分一人で生きることはできませんでした。

だから親に嫌われないために、一生懸命、自分のことを守ってきたのかもしれません。これ以上、周りから傷つけられないように、本当の自分を隠して生きてきた方もいるでしょう。

　しかし、大人になったあなたは、子どもの頃とは違います。周りから自分を守る力を持っているし、自分で自分の機嫌をとることもできるのです。

　愛する人を思いやるように自分のことを大切に思うことを、心理学では「**セルフコンパッション**」と呼びます。
「ここまでよくがんばってきたね」「イヤと言っていいんだよ」「疲れたら休んでもいいよ」「あなたが生まれてきて私はうれしいよ」と、**大人になったあなたが、傷ついたあなたにメッセージを伝えてあげましょう。**一人でがんばってきた自分を労る言葉をかけてあげましょう。

　あなたの心が満たされるまで、何度でも、声に出して、語りかけてあげるのです。傷ついた子どもの自分を、抱きしめてあげるのです。

子どもの成長を加速させる関わり方

　では、子どもの挑戦をサポートするためには、どのように関わればいいのでしょうか。
　たとえば、子どもが急に「ダンスを習いたい！」と言い出したら、

「リズム感がないからあなたには向いてないんじゃないかなぁ」
「ダンスを仕事にするのは難しいから、英語を習いなさい」

「小さい頃からダンスを習っている子が多いし、今から始めても遅いんじゃない?」

などと言いたくなるかもしれません。

でも、**子どもの気持ちを否定したり、不安にさせるようなことを言わずに、まずは「やりたい!」という気持ちを受け止めます（気持ちにはYES）**。

その上で、**子どもがそう思った理由を聞いて判断**したり、送迎や金銭的な面などでダンスに通わせることが難しい場合は、**子どもが納得できるように理由を伝えます**。

（例）「ダンスがやりたくなったんだね。やりたいことが見つかってうれしいよ。新しいことに挑戦するあなたを応援したいと思っているから、なんでダンスをやりたいと思ったのか教えてくれる?」

子どもが新しい挑戦に意欲的なときは、「子どもが傷つかないように守りたい」という想いや不安を感じたとしても、**「困難や挫折を味わうことも子どもにとって大切なこと」**ととらえ、子どもが挑戦する後押しをしてあげましょう。

POINT

子どもの「やりたい!」を
後押しする!

203

42

悩みを抱え込みそうに
なったら

✕

周りに心配を
かけてはいけない

心配は
かけられない…

○

周りに頼っていい

大丈夫！
うちのときはね〜

204

■ 親が悩みを抱え込む姿を子どもは見ている

「職場や家族に心配をかけたくない」

そのように考え、一人で抱え込み、がんばりすぎていませんか?

子どもの頃、親に助けを求めたら「自分のことは自分でやりなさい」「親に心配をかけないで」と言われた経験はありませんか。

そのような経験をすると、大好きな親を悲しませてしまったと落ち込み、気持ちが優しい子ほど、「悩んでいる姿を誰にも見せてはいけない」「人に相談すると迷惑になる」と思ってしまうかもしれません。

でも、**親が家族のためにやりたいことを我慢していたり、家事や育児に追われていつもしんどそうにしている姿を見た子どもは、「親に負担をかけてはいけない」「これ以上心配をかけてはいけない」と思ってしまいます。**

悩んでいても相談できず、苦しいことがあっても一人でがんばってしまう。

学校でもいつも周りを気にして、人に頼ったり自分の気持ちを伝えることができない。

上手にストレスや感情を発散することができず、無理をしすぎて倒れてしまうこともあります。

「まだがんばれる」と自分に言い聞かせていませんか?

鏡に映るあなたの顔が、どこか緊張していたり不機嫌そうに見

えませんか？

これらは限界ギリギリのサインです。

子どものためにしていることなのに、子どもが「親に迷惑をかけてはいけない」と考えるようになり、同じ苦しみを子どもに与えてしまうことになるかもしれません。

■■■ 相談することで、人との関係は深まる

あなたはこれまで十分がんばってきました。だから、抱えている重荷を下ろして、「心配をかけてはいけない」という考えをゆるめても大丈夫です。

ここからはあなたが「心配をかけてしまうことはあるし、人に頼ることも大切だよね」と思えるようになるために、3つのメッセージをお伝えさせてください。

① 心配するかどうかは相手が決めること

どれだけ周りを気遣って行動したとしても、心配されることはあります。

心配するかどうかは相手が持つ権利であり、あなたが自由に決められるものではありません。考えてもどうしようもないことです。

そして、**苦しいときに苦しいと伝えるのは、あなたに認められた権利であり、あなたにしかできないこと**なのです。

② 人に頼ることは「あなたを信頼している」というメッセージ

相手に困っていることを相談すること、自分の弱い部分を隠さずに見せることは、「あなたを信頼しているよ」「あなたもつらい

ときは私を頼っていいよ」「一人で抱え込まないでいつでも相談
してね」というメッセージになります。

　これは、心理学では**自己開示の原則**と呼ばれています。**自分が
相手に対してオープンになった分だけ、相手も自分に対して心を
開き、安心できる関係性がつくられていく**のです。

　あなたか心を開いた分だけ、子どももあなたを頼って本当の気
持ちを打ち明けてくれるでしょう。
　そのような親子関係の中で、子どもはありのままの自分の気持
ちを表現しながら、人と信頼関係を築く方法を学んでいくことが
できるのです。

③ 相談したとしても、どう行動するかはあなた次第
　相談した相手から、「会社は辞めない方がいいよ。あなたのた
めに言ってるのよ」など、「あなたのためを思って言っている」
「心配して言っている」というニュアンスで言われると、なんと
なく強く言い返せなくなることもあるでしょう。

　しかし、その言葉があなたをコントロールする目的で使われて
いることもあります。
「会社を辞められると、自分の仕事の負担が増える」「会社を辞
めるという選択を認めてしまうと、自分の人生が否定された気持
ちになる」「私も本当は辞めたいけど我慢しているのに、あなた
だけ自由になるのはズルイ」など、アドバイスという形でこのよ
うな支配欲や嫉妬が隠されていることもあるのです。

相手がどう思うのかは相手の自由なので、尊重することは大切ですが、相手に言われた通りに行動するかどうかはあなたが決めていいのです。

　だから、もっと気軽な気持ちで相談してもいいのではないでしょうか。

　あなたは、３つのメッセージを受け取って、どのように感じましたか。

　自分の気持ちは相手に伝えてもいいし伝えなくてもいい。相手がどう行動するかは相手が決めること。

　そのように自分と相手との間に境界線を引ければ、少し自分の気持ちを伝えやすくなるのではないでしょうか。

感情を記録する

　自分の気持ちを伝えるためには、自分の気持ちを知ることが肝心です。オススメは「**感情日記**」です。

　寝る前に**その日に心が動いた出来事**と、**そのときの思考や感情**をノートに書き出してみましょう。

感情日記の例

（出来事）私の体調が悪いことを気遣い、夫が昼にうどんを作ってくれた。

（思考）私のことを大切にしてくれていると感じて、

（感情）うれしかった。

（出来事）朝の忙しいときに、リビングで兄弟で大きな声を出し

ておもちゃの取り合いをした。

（思考）仲良くしてほしいのに親の言うことを聞いてくれないので、

（感情）ウンザリした。

感情日記を続けていくと、**自分がどんなことを求めているか、どんなときに喜びを感じ、ストレスを感じるのかが、自分でわかるようになっていきます。**

自分の状態がわかると、限界がくる前に助けを求められるようになるのです。

まずはノートを用意して1日5分から始めてみましょう。

そして、心の準備ができたら、少しずつ自分の気持ちを安心できる友人や家族に伝えていきましょう。

POINT

感情日記をつける！

43

子育てに
疲れているとき

✕

子どもをかわいいと
思わないといけない

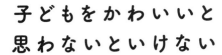

なんでかわいいと
思えないんだろう…

◯

ありのままの自分の気持ちを
許す

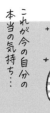

これが今の自分の
本当の気持ち…

「**子どもがかわいいと思えなくてもいい**」。

僕はそのように考えています。

どの育児書を読んでも、「子どもを無条件に愛しましょう」「宝物のように育てましょう」と、書かれています（もちろん僕の著書にも）。

子どもの欲求を満たし、愛情を注ぐことで、「自分は望まれて生まれてきた」「自分は自分のままで受け入れてもらえる」という自己肯定感や自己価値感が育まれていくからです。

しかし、子育ての現場では子どもをかわいいと思えないことが、毎日のように起こります。

イヤなことがあれば泣きわめき、場所関係なしに騒ぎたて、「うるさい！　あっち行って！」と汚い言葉を投げつける。

どれだけきっちり段取りをしていても、想定外のことが起きて崩れてしまい、自分のペースで生活ができない。時間にも心にも余裕がなく、イライラがたまって頭ごなしに叱ってしまう。

子どもを肯定するどころか、自分のことすら肯定できない。そんな状態では、子どもに対してネガティブな気持ちを抱いても仕方がありません。子育てがイヤになる気持ちもわかります。

子ども時代に「いい子」だった親は、自由の象徴である子どもに嫌悪感を持ちやすいです。「私は親の言うことをちゃんと聞いて我慢してきたのに、なんでこの子はこんなにわがままなの」と。自分が我慢して育ってきた分、周りのペースをかき乱す我が子に怒りや憎しみを感じてしまうのです。

どうやって子どもを愛したらいいかわからない、という方もいます。

　子どものときに、親に話を聞いてもらえなかったり、いつも後回しにされたりしていた。

　自分の気持ちを否定されて、抱きしめてもらった記憶がない。愛された経験がないから、愛情の注ぎ方がわからない。気づいたら、自分の親と同じことを子どもにしてしまっている。

　子どもとの関わりに自信が持てず、いつも不安や焦りを感じて心が休まらない。

　そのような苦手意識から、子どものことが嫌いになってしまうことも多いです。

　ここであなたにお伝えしたいことは、**子どもを嫌ってはいけないと思うから心が苦しくなる**ということです。

　どんな感情も大切な自分の気持ち。ありのままのあなたが感じた声であり、本当のあなたそのものです。嫌ってはいけないと思うことは、「本当の自分」ではいけないと自分を縛りつけてしまうようなもの。

　ありのままの自分で生きていいし、ありのままの気持ちを感じていい。「子どもがかわいいと思えない」と感じている自分を責める必要はありません。**自分の正直な気持ちを許しましょう。**

　自分の気持ちを感じることで、子どもへの嫌悪感もスーッと薄まっていきます。**感情に振り回されずに、落ち着いて子どもと向き合えるようになる**のです。

　その上で、**親の価値観を子どもに押しつけていないか、期待しすぎていないか、完璧を求めていないかを点検してみましょう。**

子どもは血のつながった他人です。

最低限の社会のルールやマナーを教えることは大切ですが、「子ども＝自分」になると、子どもの気持ちが見えなくなり、知らず知らずのうちに自分の生き方を押しつけてしまいます。親子の間で、支配し支配される共依存関係が生まれてしまうのです。

「子どもが自分から離れることが怖い」「親がいないと生きていけない」となると、親も子も自立できなくなります。

子どもの全部を好きにならなくてもいいし、子どもの嫌いな部分があってもいい。子どもも親と違う価値観を持っていいし、親と同じように生きなくていいのです。

子どもと親は違う人間だということを受け入れて、生活を共にする家や外出先の空間で、**お互いが心地よく過ごせる決めごとやルールをつくりましょう。**

次のように、**決めごとが守れなかった場合にどうするのかも**子どもと対話して決めておくことがオススメです。

・7時に起きる
守れなかった場合…寝る時間を30分早くする
・兄弟でケンカにならないようにおもちゃで遊ぶ時間を決める
守れなかった場合…おもちゃを1週間没収する

POINT

子どもへの感情をそのまま認める！

44

子どもに聞かれて
わからないことがあったら

✕

親が「わからない」と
言ってはいけない

これってどういうこと？
ええっ…えっとね…

○

わからないことは
親も一緒に学ぶ

うん！
確かに！一緒に調べてみよっか！

214

親が「わからない」と言ってはいけないのでしょうか?

子どもに聞かれたことには親として完璧に答えなければいけない。宿題で子どもがわからないところは親が教えなければいけない。ダンスの発表会の振り付けも、英語の発音ができていないところも、子どもの質問に答えるのが親の役割。

そのように感じる背景には、子どもへの愛情だけではなく、「学校で恥をかかせたくない」「将来困ってほしくない」「自信をつけさせてあげたい」という言葉にならない親の願望や恐れが潜んでいることがあります。

「何事も完璧にしないといけない」
「子どもをちゃんと育てないといけない」
「周りの人に育て方が悪いと思われたらどうしよう」
「できていないところを誰かに見られたらどうしよう」
「ダメな母親だと思われたくない」

このような思いがあるとしたら、幼少期の親や家族との関係が影響している場合があります。
親に質問したらイヤな顔をされた。親が望む行動をしたときだけ「いい子だね」「親として誇らしいよ」とほめられた。
いつも人と比べられて、よい点数が取れなければ叱られた。いつも放ったらかしで親や下の子の面倒を見させられた。
そのような家庭環境で育つと、与えられたことを完璧にこなさなければいけない。わからないことがあってはいけない。さもなければ親として失格だと感じてしまうようになるのです。

子どもを立派に育てたいという気持ちはわかりますし、困っている子どもを助けてあげたいというのも優しさからのことです。子どものためにがんばっているあなたを責めるつもりはありません。

ただ、あなたの心が少しでもラクになればという思いでお伝えします。

◤ わからないことへの向き合い方を教える

親は先生ではありません。**子どもが疑問に思ったことにすべて答える必要はありません。**

親はグーグルではありません。世界中の情報をすべて暗記することは不可能です。子どもが困っていることをすべて自分で解決しなければと思わなくても大丈夫です。

子どもに教えたいことは、「正しい答え」ではなく、「わからないことを認めてもいい」「わからないときは聞いてもいい」「わからないことは調べたらいい」ということです。

この先、子どもは自分がわからないこととたくさん向き合うことになるでしょう。そのときに、知ったかぶりをしたり、わからないから手をつけないという選択をしていては、多様な考えが身につかず、世界が広がっていきません。

ずっと親が子どものそばにいて、「こうしたらいいよ、ああしたらいいよ」と指示を与えることはできません。

だからこそ、**自分の知らない世界に触れたときに、知らないことを素直に認めて、知っている人に助けを求めることも社会で生**

216

きるために大切です。

「飢えている人に魚を与えれば1日は食べられる。魚の釣り方を教えれば一生食べていける」

このようなことわざもあります。このことわざの教えにもある通り、正しい答えを教えることよりも、**子どもが納得できる答えを見つけるためのサポート**をしてあげましょう。

親がわからないことがあってもいいのです。わからないことをわからないと認めるお手本を見せてあげましょう。
「いいところに気づいたね。頼ってくれてうれしいんだけど、ママ（パパ）もわからない。辞書で調べてみよっか」などと、わからないことは、子どもと一緒に調べるのもオススメです。

自分が苦手なことは、誰かの得意なこと。
親が全部できなくてもいいし、すべての専門家になる必要もありません。あなたにはあなたにしかできないことがあります。
学校の先生やスクールカウンセラー、子どもの習いごとの先生、地域のコミュニティーなどを上手に頼りながら、自分が得意なことや向いていることで子どもと関わっていきましょう。
あなた一人で子どもを育てなくてもいいのです。

POINT

わからないことを一緒に調べる！

45

「子どもとの関わり方が わからない」と思ったら

✕

「いい親」に ならなければいけない

私って...

〇

自分らしく子どもと 関わればいい

「自分には子どもを育てる資格がない」。

　そのように考えて、自分を責めてしまうことはありませんか?

　子どものためにしてあげたいことがあるのに、他の親のように
うまくできない。
「ママ(パパ)見て〜」と話しかけられても、「またあとでね」
とちゃんと向き合ってあげられない。
　ダメだと思っていても、テレビやスマホに子守りをさせてしま
う。
「こんな親でごめんね」と子どもの寝顔に謝ることやパートナー
や義父母に子育てのことで不満や嫌味を言われて、気を落とすこ
ともあるかもしれません。

「自分の親のような子育てをしてしまうのではないか」。
　そのような恐れを持たれている方も多いです。子どものときに
自分が傷つけられたように、子どもを傷つけてしまうのではない
かと。
　自分と同じつらい思いを子どもにはさせたくないし、子どもの
ときに傷つけられたあの感覚を、子どもを通して味わいたくない。
だから、自分は子育てには向いてないと言い聞かせて、子どもか
ら離れようとしてしまう場合もあります。

子育ては競争ではない

　自分が子どもだった頃に親にされたことにとらわれたり、他の
親の子育てや世間で言われている、いわゆる「**いい母親像**」と比
べてしまうと、自分のペースで子どもと関われず、子どもといい

関係が築けません。

　あなたらしい子育てを見つけて、あなたが心地よい関係性をつくっていくことが大切です。

　その上であなたにお伝えしたいことは、「子育てにおいてはあなたは初心者である」ということです。

　たとえ30年生きてきたとしても、子育ての経験値は子どもの年齢と同じです。子どもが上手に箸を使えないように、あなたも子育てが上手にできなくて当然です。

　また、子どもとの関わり方（ライフスキル）やコーチングは、学力や才能に関係なく誰にでも習得できる技術です。練習すればうまくなります。

　あなたがうまくできないと感じているのは、これまで練習する機会がなかっただけです。だから自分を責める必要はありません。

　どのようなライフスキルや子育て術を身につけたいかを決めて、練習メニューを書き出し、子どもとの関わりの中で実践してみましょう。

練習メニューの例

習得したいライフスキル：聴く力

練習メニュー：１日５分でも子どもの話を聞く。その話を子どもに要約して伝えて、「そうそう！　それが言いたかったの！」と言わせる（50項参照）

習得したいライフスキル：イライラをコントロールする力

練習メニュー：イライラしたときにアンガーログをつける（40項参照）

ライフスキルを高めるための練習メニューは、育児書を読んで参考にしたり、メンターやロールモデルとしている友人からアドバイスをもらうのがオススメです。「登りたい山が見つかったら、すでにその山に登った人に聞く」というのが成功法則の1つです。

また、前著『「やり抜く子」と「投げ出す子」の習慣』では、親と子のライフスキルを高めるための50の行動習慣を紹介しています。

僕の公式LINEでも、子どもを自立させるためのコーチング術を動画で解説しているので、そちらも参考にしてみてください。

子育ては競争ではありません。誰かとの競争の中に自分の心を置くと、子育ても人生も苦しくなります。

今できることをできる範囲でひとつひとつ、行動していきましょう。

大丈夫です。練習すれば、どのようなスキルも身につけることができます。お箸も持てるようになり、日本語も覚えた。自転車にも乗れるようになった。人間の体はそのようにできているのです。

できなかったら、練習すればいい。子育てでも、子どもだけでなく親も、できるようになった喜びを全身で味わって、がんばった自分にごほうびをあげましょう。

POINT

ライフスキルを高める
練習メニューをつくる!

46

「疲れているけれど 休めない」と思ったら

✕

自分だけ休んではいけない

休むわけには…

◯

疲れたら休んでいい

省エネモード

ちょっと
回復中…

今は

ほーっ

　自分が休まずがんばれば、すべてがうまくいくと思っていませんか？　もしそうだとしたら、それは間違っています。なぜなら、**あなたが休まないことで、子どもも休めなくなるからです。**

　ママ・パパがしんどそうだから、無理を言ってはいけない。ママ・パパががんばっているから、自分も休んではいけない。休むこと＝ダメなこと。

　このように感じて、誰にも弱音を吐けなかったり、苦しくても休むことができず、心と体を壊してしまう子もいます。そして、思うように動けない自分を「ダメな子」と責めてしまうのです。

　あなたが「自分だけ休んではいけない」と思ってしまうのも、幼少期の親子関係が影響しているかもしれません。

　子どもの頃、がんばっていれば「立派だね」とほめられ、少し休んでいると「いつまで休んでるの！」と叱られるということはありませんでしたか？

　そうであれば、「自分だけ休んではいけない」「自分が犠牲になればそれでいい」と感じてしまっても仕方ありません。

　がんばればほめられるし、周りから感謝される。自分が役に立つ存在として認められるからです。

　ただ、自分の限界を超えてがんばりすぎてしまうと、疲れが溜まり、心に余裕がなくなったり、体調を崩してしまうことも。

　子どもも「自分もがんばらなきゃ」とプレッシャーを感じ、その子らしさを失ってしまう可能性があります。完璧にやらねばと自分を追い込み、休むことに罪悪感を抱くようになるのです。

　子育ても人生も、長距離走です。長い道のりで、休まずに全力

で走れるのは、せいぜい100mくらいなものです。

　人間の心も体も、車と同じで壊れてしまうと、元通りにするには時間がかかります。今無理をしてがんばって少し遠くに進んでも、その結果、イライラして子どもとの関係が悪くなったら元も子もありません。

　また、ブレーキの踏み方を知っているから、アクセルを思いっきり踏めます。安心してドライブを楽しめるのです。疲れが残っている状態では、やる気も起きず何をやっても楽しめません。

　自分の心と体の状態を観察しながら休息をとり、自分のペースで子どもと関わることが、家族とおだやかな毎日を過ごすために大切なのです。

　あなたの心や体にこのようなサインがあれば、子どものためにも休むことを選択しましょう。

・食欲がない
・疲れがとれない
・ぐっすり眠れない
・ずっとイライラしている
・「自分には価値がない」と思う
・趣味や好きなことを楽しめない
・仕事や家事など、やるべきことに集中できない

　周りのことを気遣うがんばり屋さんには、どうやって休めばいいかがわからない方も多いです。

　なので、まずは家族に「**省エネモード宣言**」をしてみるのはど

うでしょう。省エネモード宣言とは、「**もうすぐエネルギーが空っぽになりそうだから、いつもと同じことはできませんよ**」という**お知らせ**です。家族にわかるように旗や目印を立ててもいいでしょう。

　省エネモードのときは、
① 全部60点でいい
② 最低限のことでいい
③ 手伝ってもらっていい
④ 料理はスーパーのお惣菜やお弁当でいい
⑤ 気が進まないことは後回しにしてもいい
⑥ 自分が食べたいものを食べていい
⑦ 自分を優先してもいい
　など、**心と体が休まる作戦を元気なときに考えておいて、エネルギーを回復させることを最優先にしましょう。**

　あなたが我慢すれば、子どもも我慢します。
　あなたが家族の前で堂々と休むことで、子どもは休むことの大切さや体調を整える方法を学んでいくのです。
　子どもが勉強していても、パートナーが仕事をしていても、あなただけ休んでもいい。あなたがごきげんであることが、子どもが一番求めていることだから。

POINT

**疲れを感じたら
省エネモードを宣言する！**

47

自分だけ楽しむことに
罪悪感があるとき

✕

自分を犠牲にして
がんばらなければいけない

ハァ…

◯

自分が率先して楽しむ

この時間が楽しみ…

「パートナーや子どもを置いて自分だけ楽しんではいけない」。
　このように感じることはありませんか?

「一人で泊まりがけで旅行をしてはいけない」
「友人と遊ぶことが理由でパートナーに家事を任せてはいけない」
「自分の美容や趣味のためにお金を使ってはいけない」

　自分だけ楽しむことに罪悪感を持ってしまうとしたら、幼少期における親との関係性が影響しているのかもしれません。
「今なまけていると、将来苦しむことになるよ。しっかり勉強しておきなさい」と親に進路を決められて、そのレールから少しでもはずれないように厳しく監視されていた。
　勉強につながらないことや遊ぶことは許されず、すべてにおいて100点を求められた。
　親にとっては子育てだけが生きがい。特に趣味や打ち込むこともなく、家事も完璧にこなし、自分のことはいつも後回し。

　このような支配型・管理型の親のもとで育つと、「自分を犠牲にしなければ大切な人を悲しませてしまう」という価値観が刷り込まれてしまいます。
　この考えは子どもの人生にも大きく影響します。

　子どももあなたと同様に、「親が家族のためにがんばっているから、自分も我慢しないといけない」とプレッシャーを感じて、やりたいことよりもやるべきことを優先。
「楽しんだら親に叱られる。自分を犠牲にしないと愛してもらえ

ない」と親の顔色や周りからの評価が気になり、自分がやりたいことをあきらめてしまう。

人生のゴールは、**「自分の人生を楽しむこと」**ではないでしょうか。

努力することも、苦しいことに耐えることも必要です。周りの人に気を遣ったり、困っている人を助けてあげることも大切でしょう。

ただ、**自己犠牲や他人優先が強くなりすぎると、「ほめられてもうれしくない」「何のために生きてるんだろう」と生きる喜びを感じられなくなります。**ストレスや不満が溜まり、心に余裕がなくなります。いつも、いっぱいいっぱいの状態に。

子どもや家族のために「しっかりがんばらなければ」と思う気持ちはわかります。でも、子どもが見たいのは、親が自分を犠牲にする姿でしょうか？　やりたいことを我慢する姿でしょうか？「役に立てなければ私には価値がない」と楽しむことを許さず苦しんでいる姿でしょうか？

僕は、自分の親にそのような人生を生きることを望んでいません。自分の人生を生きることを望んでいます。やりたいことをやって毎日を楽しく生きることを願っています。

もし自分の親が、今も自分を犠牲にして生きていたら、このように伝えたい。
「ここまで家族のためにがんばってくれてありがとう。あなたがいたから僕はちゃんと大人になれました。本当に感謝しています。ただ、これからは自分のために生きてください。自分がやりたい

ことをやってください。しんどいときは無理をしないで休んでください。わからないことがあれば、いつでも聞いてください。できないことがあれば、僕にやらせてください。一人で抱え込まず、相談してください。あなたにいつまでも元気で毎日を楽しく過ごしてもらうことが、僕の一番の願いだから」と。

また、我慢して生きている人は、我慢せずに生きている人を見るとイライラする傾向にあります。

我慢を強要する関係の中に、幸せはありません。

「私がこれだけ我慢しているのだから、あなたも我慢しなさい」と我慢を押しつけ合うよりも、「私はやりたいことをするし、あなたのやりたいことも応援する」とお互いの人生を尊重できる関係の方がずっとラクです。

そのような関係性の中で、子どもは親に愛されていると感じ、自分を信じて、やりたいことに挑戦できるようになるのです。

しんどいときにどうすればいいか迷ったら、自分が「ラク」になる方を、心が軽くなる方を選びましょう。気が進まないことは、断ってもいいのです。

あなたが楽しんでいれば、子どもも楽しい気持ちになります。人の気持ちは連鎖するものです。だから大丈夫。あなたは自分の人生を楽しんでもいい。毎日を、自分のために生きていいのです。

POINT

疲れているときは
心が「ラク」になる方を選ぶ!

48

「子どもには
幸せになってほしい」
と思ったら

✕ 自分は幸せになってはいけない

あなたには幸せに
なってほしいの

◯ まず自分を幸せにする

家族と楽しい時間を過ごしていても不安になる。

ゴールまであと少しのところで、いつも手を抜いてしまう。

うまくいかないとなぜか安心する。

このようなことはありませんか？

もしこれらがあてはまるとしたら、「幸せになってはいけない」という呪いが刷り込まれているのかもしれません。その背景には幼少期の親との関係が影響しています。

自分が喜んでいると親にうっとうしそうな顔をされたり、「ヘラヘラするな」と叱られた。新しいことに挑戦していると「どうせうまくいかないよ」と言われた。

だから、自分は幸せになってはいけないと思ってしまう。うれしいことがあっても、今のこの幸せにも終わりがくると思ってしまう。失いたくない不安から、自分から幸せを壊してしまう。いつか終わりがくる幸せよりも、ずっと続く不幸の方が安心するのです。

「だから自分は幸せにならなくていい、でもあなたには幸せになってほしいの」という、思わず言ってしまうこの言葉が、子どもの首を絞めることもあります。

自分と同じ苦しい思いを味わわせたくない、そんな気持ちからの言葉だと思います。

ただ、この言葉の裏には「あなたが幸せにならないと私は幸せになれない」というメッセージも隠されているのです。この言葉によって、自分が幸せになりたいからではなく、親を幸せにするために幸せにならなければと思ってしまう子もいます。

つらそうな姿を親に見せてはいけない。人前で泣いてはいけない。そのように親の顔色ばかり気にして自分の気持ちを表に出せない。自分の生き方を見失い、そのままの自分を愛せなくなっていくのです。それは子どもにとって、とても不幸なことです。

　幸せは誰かのためになるものではなく、自分のためになるものではないでしょうか。
「あなたの幸せがママ（パパ）の幸せだよ」と親に言われると、子どもはうれしい反面、「期待にこたえなければならない」とプレッシャーを感じてしまい、親に依存していきます。
　親に気を遣って自分が楽しむことや幸せになることに罪悪感を抱くようになるのです。
　自分が幸せになると、ママ（パパ）が一人ぼっちになる……と感じて、わざとできない自分を演じたり、成長することを避け、自立することを自ら放棄することもあります。

　子どもを幸せにしたいなら、あなたが幸せになることが、一番の近道です。
　親が楽しんでいる姿を見て、子どもは「自分も楽しんでいい」という許可証を手に入れます。
　親がやりたいことに夢中で取り組んでいる姿を見て、子どもはやりたいことを見つけて自由に生きたいと願うようになります。大人になることに希望が、未来を生きることに自信が持てるのです。

　自分が幸せになることを、許してあげましょう。

これまで周りの人を大切にしてきたように、これからは**あなたの心を大切にしましょう**。

自分が喜ぶ選択をしていいし、自分を苦しめることを手放していい。誰の役に立たなくても、意味がないと思えることでも、あなたの心が反応したなら、そちらの方に一歩踏み出していいのです。

たとえ誰かが文句を言ったとしても、あなたには自分の心を喜ばせる資格がある。自分のために時間を使っていいし、自分のためにお金を使っていいのです。

あなたを縛るものは、「幸せになってはいけない」という自分に課している禁止令だけです。

幸せを求めることを、誰にも否定されるべきではありません。

たとえ完全にそう思えなくても、「月に1日ぐらいは幸せになってもいい」「1日30分くらいは自分がやりたいことをしていい」と、自分が許せる範囲で、少しずつで大丈夫です。自由になっていいし、自分らしく生きていい。

あなたがあなたの心を喜ばせることで、あなたのお子さんに「自分を幸せにする方法」を身をもって教えていきましょう。

POINT

「幸せになってもいい」と認める！

49

子どもの才能を育てたいと思ったら

✖

子どもは親の夢を叶えるべき

⭕

子どもの夢を見つける

「よい大学に行かせたい」

「プロ野球選手を育てたい」

「安定した公務員になってほしい」

　自分が果たせなかった夢を、子どもに叶えてほしいと思っていませんか？

　お金がなくて大学に行かせてもらえなかった。努力したけどプロ野球選手になれなかった。

　過去にこのような経験をしたことで、**自分と同じようなつらい思いをさせたくないと感じたり、満たされなかった気持ちを子どもに満たしてほしいと思ったりして、子どもの人生のレールを親が敷いてしまうことがあります。**子どもの夢を親が決めてしまうのです。

　子どもの立場に立ってみましょう。

　小さい頃からの詰め込み式のスパルタ英才教育。スポーツ、芸術、学習などにおいて華やかな舞台で活躍することを求められ、結果が出なければ「努力が足りないから」と叱られる。

　少しでも気を抜けば、「あなたがやりたいと言ったから欲しいものを我慢して、高い授業料を払って通わせているのに、ガッカリさせないで」と言われ、休みたいと言える雰囲気ではない。

　親を喜ばせるために勉強して、親を悲しませないために練習して、親に嫌われないために「やめたい」と言えない。

　いつも人生の中心に親がいて、「自分の人生なのに自分の人生ではない」感覚が植えつけられて、生きづらくなってしまいます。

　子どもを習いごと漬けにすれば、小さいうちに花を咲かせるか

もしれません。

　しかし、見栄えだけよくても根っこの部分が育っていないと、ささいな失敗でポキッと心が折れてしまいます。「勝たなければ、自分の居場所がなくなる」と自分を追い詰めて心を壊す子も多いです（燃えつき症候群）。そして、大人になったときに、自分の進路を決めてきた親を恨むようになるのです。

　子どもは親の夢を叶えるために、生まれてきたわけではありません。自分の夢を叶えて、幸せになるために生まれてきました。**親の役割は子どもの夢を決めることではなく、子どもの「夢を見つける力」や「夢を叶える力」を育ててあげること**です。

　夢や好きなことを見つけるためには、スポーツや芸術、野外活動など、心と体を動かすアクティビティーがオススメです。

　食べたことのない料理や聴いたことのない音楽を好きになることはできません。**実際に見て、匂って、食べて、聴いて、触ってみることで、どんなことが好きで、楽しいと感じるのかが自分でわかるようになってきます。好奇心や感性が養われていく**のです。

　子どもの好きなことが見つかったら、プロの試合観戦やコンサートなど**本物を感じられる現場に行ってみたり、習いごとに通わせてみて、深く探求できる機会をつくる**ことも有効です。

　ただ、子どもが何かに興味を持ったときにどのように関わるかで、子どもの才能が伸びることもあれば、好奇心を挫いてしまうこともあります。子どもの興味関心のタネを育てるために、僕は次の６つのことを親御さんにお伝えしています。

① 成果を求めない

② 親が子ども以上に本気にならない

③ 結果だけではなく成長した部分をほめる

④ （聞きたいことではなく）子どもが話したいことを興味を持って聞く

⑤ 子どもの意思で休むこと・やめることを許す

⑥ 子どもと一緒に楽しむ

　この6つを意識して関われば、子どもはプレッシャーを感じることなく、時間を忘れてやりたいことに没頭できます。失敗を恐れず新しいことにチャレンジして、苦手なことでも前向きに取り組み、最後までやり抜けるようになるのです。

　このような夢中になれる環境が、子どもの「夢を叶える力」を養っていきます。

　いきなり6つすべてに取り組むのはハードルが高いと思うので、できることから1つずつ実践してみてください。

　子どもの夢を叶えるのは子ども自身であり、親の夢を叶えるのは親自身です。子どもに自分の夢を託すのではなく、あなたが自分で叶えられる夢を見つけましょう。

　ずっとやりたかったことをやっていいのです。自分の心を喜ばせることに、自分の命を使っていいのです。

POINT

自分の夢は自分で叶える！

50

「子どもの気持ちが急に わからなくなった」 と感じたら

✗

子どものすべてを 知らなければいけない

何でもない…

どうしたら…

○

子どものすべてを 知らなくていい

うん…

いつでも相談に乗るからね

子どものことを すべて理解しようとしていませんか？

「子どもの気持ちがわからない」。
「自分の子なのに何を考えているか理解できない」。

このように悩んでしまうことはありませんか？

親なら子どものすべてを知らなければいけない。
どんなことでもわかっていないといけない。
周りの人に迷惑をかけないように、子どもの行動を把握しなければならない。
そのように思っていると、子どもに「別に……」「何でもない」と言われたとき、何かあったのではないかと不安になります。
理由がわからず何をしても泣きやまない子どもを見ると、ダメな親だと自分を責めてしまうのです。

子どもに悩んでいることがあれば助けてあげたいと思う気持ちもわかります。
でも、本当に親が子どものすべてを理解しなければいけないのでしょうか？
それであなたの心がラクになるのであれば、そのままでもいいと思います。
ただ、自分を追い詰めてしまうのであれば、少し考え方をゆるめてみるのはどうでしょうか。

▶ 子どもは日々変化していく

まず第一に、**誰であっても相手のことを完全に理解するというのは不可能です。**私たちは毎日いろいろな情報に触れて、いろんな人と交流し、多くのことを体験していますよね。子どもも同じです。

学校で新しいことを学べば、考えも価値観も変わっていきます。環境が変われば、それに合わせて生活スタイルも生き方も変わっていくのです。

そう考えると、子どもが家庭や学校生活で体験したことや、子どもの内面の変化をすべて把握するのは現実的に難しいですよね。

第二に、**子どもをすべて理解していると過信することは、危険です。**逆に子どもの気持ちに寄り添えなくなってしまうからです。「あなたのために言ってるの」「中学受験をする方があなたが幸せになれるのよ」などと、親の期待や価値観を子どもに押しつけてしまうことも。

子どものすべてを理解するのは難しく、また、理解できていないからこそ、子どもの気持ちに寄り添えます。
だから僕は、子どものことでわからないことがあってもいいと考えています。

▶ 「わからない」から対話で寄り添う

もちろん、「わかってあげたい」と子どものことを想っている

自分を責める必要はありません。その気持ちがあるだけで十分です。

　わからないからわかろうとするし、わかり合いたいから話し合うことをあきらめない。関係を投げ出さない。

　そうやって親子で向き合って「対話」した数だけ、子どもは自分の気持ちも尊重されていると感じ、親子の絆が育まれていくのです。

「何があったの？」「泣いてちゃわからないでしょ」「怒らないから言いなさい」と質問責めにしたり、無理やり気持ちをこじ開けようとするのではなく、**子どもと安心して「対話」できる関係性をつくる**ことが大切です。

　そもそも、「対話」とは何でしょうか？

　対話とは単なる会話でもなければ、情報交換でもない。対等の立場で向かい合って話をすることであり、お互いの価値を認め合っていなければ成り立たない。つまり、お互いを承認し合っている関係でのみ対話が成り立つのである。

　　　　　　　　　　　　　　　　（『対話と承認のケア』より）

「親になったらわかるから」「あなたには言ってもわからないと思う」などと子ども扱いしたり、親が言いたいことを我慢して子どもの言いなりになったりしていると、対話は成り立たないのです。

　親の言うことを聞かせようとしたり、子どもを説得しようとする話し合いは、対話ではありません。 もちろん、論破ゲームも対

話の反対側にあります。

　親子での対話の目的は、親も子も納得できる「私たちの答え」を見つけることです。

家の中の「心理的安全性」を高める

　この人なら自分のダメなことを話しても許してくれるし、受け止めてくれる。

　そのような心理的安全性を感じたときに、子どもは心を開いて、悩んでいることや学校であったことを打ち明けてくれるようになります。

　なので、子どもに意見を伝えるときには、

①感情的にならずに、②自分の意見や助言を伝えていいかの許可をとり、③子どもが納得できる理由（なぜなら～）や具体例（たとえば～）を交えて伝える

　という3つを意識しましょう。

　子どもの意見を聞くときには、

①まず受け止めて肯定し、②子どもの気持ちに共感して、③子どもが話した内容を要約（サマリング）する

　という3つを大切にしましょう。

「そうそう！　それが言いたかったの」といった反応を子どもから引き出せたなら、子どものことをかなり理解できているサインです。

　大切なのは、子どもの話を聞く時間の長さではなく、子どもに「そうそう！」と言わせる・思わせるまで深く共感できた回数です。それが、親に自分の話を聞いてもらえたという実感を生みます。

　たとえ1日5分しか子どもの話を聞く時間がなかったとしても、その中で「そうそう！」を1回でも引き出せたのであれば、子どもは寂しい思いをしなくてすむのです。

　また、子どもが言いたくないことは、無理に聞き出す必要もありません。

　親に知られたくないことや言いたくないことがあるのは、自我が芽生えてきた証拠。自分と親は別の存在であることを、言葉にはできないながらも感じているということで、子どもが成長した証なのです。

　子どものことをすべて知ろうとするのではなく、**「何かあったらいつでも相談に乗るからね」と寄り添いつつ、ときには距離を置いて子どもの成長を見守りましょう。**

POINT

子どもの話を要約して
「そうそう！」を引き出す！

51

親との関係をスッキリ
させたいと思ったとき

✕

自分の親を
許さなければいけない

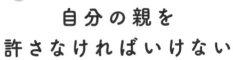

これからは仲良く…

悪く言っちゃ
ダメ…

◯

自分の親を許さなくていい

許せないまま
でもいい

子どものときに、妹ばっかりかわいがって自分のことは放ったらかし。「宿題やりたくない」とボソッと言ったら、そんな子に育てた覚えはないと叩かれる。

少しでも親の機嫌が悪くならないように「いい子」になろうと努力してきた。安心できる場所なんてどこにもない。家族とはこういうものだと思っていた。

しかし、大きくなって子どもができて、自分の家族がおかしかったことがはっきりとわかった。小さな子どもになんであんなひどいことができたの。なんであんなことが言えたの。

親への憎しみがあふれ出してきて止まらない。ずっと親のことが頭から離れず、やりたいことに集中できない。親といると正気を保てない自分がいる。親が憎い。親に対してそんな気持ちになる自分がイヤだ。

そのように苦しんでいる方の相談を受けることがよくあります。

この苦しみの本質は、「許したいけど許せない」という葛藤です。家族は仲良くするべき。親に感謝するべき。親を悪く言ってはいけない。そのような考えが自分を追い詰めて、親に冷たくする自分を「親不孝者」と責めてしまうのです。

子どものときにされたことを、すべて親にぶちまけたい。「あのときは私が悪かった。ごめんなさい」と謝ってもらいたい。わだかまりを解いて、これからは笑って仲良く過ごしたい。

このように思う気持ちもわかりますが、**親が悪かったと認めて謝るかどうかは、自分にはコントロールできないこと**です。

「今さらそんなこと言うな」と逆ギレされたり、あなたの想いが

無視されたりすると、さらに傷つくことになります。自分から親の支配下に飛び込んでいくようなものです。

「親に謝ってもらう」「親に気持ちをわかってもらう」など、自分がコントロールできないことや努力しても変えられないことを求めてしまうと、親の支配から抜け出せず、生きづらくなります。

人生のゴールは、親を許すことでも親にわかってもらうことでもなく、自分が幸せになることです。自分の行動で変えられることを、人生の軸に置きましょう。

親を謝らせることはできませんが、自分で自分の気持ちを認めることはできます。親を憎んでいる自分を受け入れることはできるし、親を許せない自分を許すことはできます。

許せないままで、どのような問題があるのでしょうか?

子どものときに、親にされたことを水に流すことなんてできない。過去は変えられない。ありのままの自分が傷つけられて、自分の気持ちを押し潰されて、平気なフリをする方が苦しい。

許せないという感情は、生まれながらに備わっている防衛本能。許さないことで、自分を守っているのです。「人としてまだまだだ」「なんて器が小さいんだ」と責める必要はありません。

ありのままの自分の気持ちを受け入れましょう。いまだに親に対して怒りや憎しみを持っている自分を許しましょう。素直な気持ちで「ありがとう」と言えない自分がいることを認めるのです。

「親に求めない」「親に期待しない」「親に近づきすぎない」。

親子であっても、ベタベタする必要はありません。**心地よくいられる距離で付き合えばいいし、自分なりの親孝行をすればいい。**

自分の感情を内に閉じ込めずに、言葉にして外に吐き出しましょう。感情をなかったことにせず、空っぽになるまで感じきるのです。「そのように思ってもいいんだよ」と寂しかった子どもの頃の自分を抱きしめてあげましょう。

「もっと話を聞いてほしかった」「そのままの自分を認めてほしかった」など、満たされなかった感情を受け入れていくと、頭の中で鳴り響いていた「親の声」が薄まっていきます。そうすれば、自分の声が聞こえてきて、自分がやりたいことが見えてきます。

親との関係に悩んでいるとしたら、自分の頭から親を消して、自分の人生を生きることが、親の支配から抜け出すゴールです。

親子の間で続けてきた綱引きを終わらせるには、相手を変えようと強く引っ張ってはいけません。それでは「あなたが変わりなさい」とさらに強い力で引き戻されるでしょう。

あなたが綱を離し、**「親を許さなければいけない」という信念を手放す**のです。

親に向けている矢印を、自分の心に向けましょう。自分を大切にしてくれる人のために自分の時間を使うのです。

僕はあなたがありのままの自分を許し、あなたらしく生きることを心の底から応援しています。

POINT

許せない自分を許す！

52

「成長とともに子どもが 離れていくのが悲しい」 と感じたら

✕

子どもを生きがいにする

あなただけが 私の生きがいだよ

○

子ども以外の生きがいを 見つける

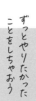

ずっとやりたかった ことをしちゃおう

親が子どもだけを
生きがいにしてはいけない理由

子どもの幸せを願うなら、子どもを生きがいにするのはやめましょう。

「私には何もない。あなただけが私の生きがいなの」
「あなたを育てることが、私の楽しみなの」

子どもがかわいいからこそ生まれる自然な感情ですが、**子どもを生きがいにすると親も子も苦しくなります。**

子どものために大好きな仕事を辞めて、子どものためにやりたいことを我慢し、子どものために、別れたくても別れない。

あなたは自分の親に、そんな人生を望みますか？

もしかしたら、小さいうちは親に愛されていると感じてうれしいかもしれません。

ですが、**次第に親のために「幸せにならなければならない」「立派な人間にならなければ」と重圧を感じて、親に気に入られることが行動の軸になります。**自分の足で立って自分で考えて、自分で行動する力を失っていくのです。

そしてあるとき、そんな自分にした親を恨むようになるかもしれません。「なんであのとき、あんなことを言ったの！ なんでやりたいことをやらせてくれなかったの！」と。

「子どもが成長していくのはうれしいけれど、自分の元から離れていくのは寂しい」という声もよく聞きます。

長年一緒に過ごしてきた子どもと離れたくないと思うのは、誰もが持つ感覚です。

　しかし、子育てはいつか終わります。子どもが家から出たあと、あなたは何を生きがいにして生きていきますか?

　その答えが見つからなければ、子どもが自立すると生きがいを失い、空っぽになってしまいます。
　その不安や恐れから、無意識に子どもができるようにならないように親が代わりにやってしまったり、「私がいないとダメね」と子どもを依存させてしまうこともあります。
　子どもの自立を願いながら自立を妨げるという、自分でも理解できない行動に走ってしまうのです。

　僕が自分の親に望むことは、「何よりも自分の体を大切にして、毎日を楽しく過ごしてもらうこと」です。
　子どものことを気にせず、自分が好きなことをやって生きてほしい。
　言いかえれば、僕を生きがいにしてほしくないし、自分のために時間を使ってほしいです。

　人生の中心に、自分ではない誰かを置けば、その人を支配しようとしてしまいます。
　もちろん、子どもや家族の幸せを願ってもいいし、子どもに期待してもいい。こんな大人に育ってほしいと子どもの将来を願うことは悪いことではありません。

　ただ、どこまでいっても、**子どもはコントロールできないもの。**

親が期待していることを子どもがすることもあれば、そうでないこともあります。

　決めるのは子どもです。責任を取るのも子ども。

　小さいうちは、強制的に親のルールに従わせることは可能です。力ずくで子どもを動かすこともできるでしょう。

　でも、本書でお伝えしてきた通り、親の価値観を押しつけることの代償はとても大きいです。その場は親の思い通りになっても、結局あなたと同じ苦しみを子どもが味わうことになります。

　それは、どうしても避けたい。避けるべきですよね。だからあなたはここまで読み進めてくれたはずです。

　ですから、**子ども以外の生きがいを見つけましょう。**

　子育て中は時間のゆとりも心の余裕もないというのもわかります。やりたいことがわからない人もいるでしょう。

　そこでオススメしたいのが、**週に１日でもいいし、１時間でもいいので、自分の心を喜ばせる「アーティストデート」を取り入れてみること**です。

「アーティストデート」とは、『ずっとやりたかったことを、やりなさい。』で紹介されている、本当にやりたかったことを見つける効果的な方法です。

　いわば自分とのデートで、ルールは次の3つだけです。

①1週間に1回、ひとりでする
②事前に自分を喜ばせるデートプラン（計画）を練る
③他の予定が入りそうになっても、なるべくデートを優先する

「子どもの頃からやってみたいと思っていたこと」「時間があればしたいと思っていたこと」などをして、**自分の内側にいる子どもの自分や創造的な自分を外に連れ出し、喜ばせる**ということです。

　行ったことのない場所に行ってみたり、やったことのないことをやってみたり、新しいコミュニティーに参加したりして、子育て中心の生活に新しい風を吹き込みましょう。

　忙しい日々を過ごしていると、自分の心の声が聞こえなくなります。「やるべきこと」に囲まれて「やりたいこと」が見えなくなり、自分のことは後回しで家族中心の生活になっている場合も多いと思います。

　だからこそ**定期的に、現実の世界から飛び出して、子どもや家族以外のことに心の矢印を向けましょう。子どもと距離を置いて、「本当の自分」と対話しましょう。**

　母親の役割を離れて、「子どものときの自分」を取り戻すのです。時間を忘れて、夢中になったあの瞬間を思い出すのです。

　何かに夢中になって輝いている親の姿ほど、子どもを成長させるものはありません。

「私たちの最も偉大な資源は、子どもの心である」

（ウォルト・ディズニー）

　自分を苦しめる「べき」を手放しましょう。自分を縛る「ルール」や、見栄や世間体などでつくられた「理想」なんて必要ないのです。

これまで十分、他人のために努力してきたのだと思います。

でも、これからは自分のために生きていい。あなたの命をどう使うかはあなたが決めていい。あなたの人生です。あなたの物語で、あなたが主人公なのです。

あなたがあなたであること以上に価値のあることはない。あなたの代わりなんていない。あなたは尊い。

あなたは自由だ。やりたいことをやって、生きたいように生きていい。あなたにはその価値があるし、すでにその能力を持っています。あなた自身で自分の人生の脚本を書くのです。

あなたを縛るものはもう何もありません。

人生は一度きりで、今日という日は、残りの人生の最初の日。

本来のあなたを、この広い世界に連れ出しましょう。これから、どんな物語を生きたいですか?

POINT

週に1回は、自分とデートする!

おわりに

×　何が何でもルールを守るべき
○　親も子もラクになるルールを選ぶ

「親に植えつけられたルールを、親も子もラクになるルールに変えよう！　そしてそれを習慣化し、自分らしい生き方をつくろう！」をテーマに、生きづらさをゆるめる52の提案をしてきました。

　ただ、あなたの気が進まなければ、決して守る必要はありません。他人から言われたルールにただ闇雲に従うだけでは、これまでとなんら変わらないからです。

　そもそも、この本を書こうと思ったのは、「自分が納得できるやり方を自分のために選び取ってほしい」という願いがあったからです。

　2021年に『「やり抜く子」と「投げ出す子」の習慣』を出版して以来、読者からたくさんの感想をいただきました。

「子どもが自分から勉強するようになった」
「失敗を恐れず新しいことに挑戦するようになった」
「自分が決めたことに責任を持てるようになった」
　などの喜びの声もあれば、
「本で言われている通りにした方がいいと頭ではわかっていても、子育ての現場ではなかなか実践できない」
　といった率直な意見もありました。

　子育て本からヒントを得て自分の子育てに活かしている方がいる一方で、世の中にある子育て本（僕の本を含め）に振り回されて、自分らしい子育てを見失っている親御さんが増えていると感じています。

　この違いは何なのでしょうか。

　よくよく話を聞いてみると、子育て本をうまく活かせていない方の多くは、「著者の言っていることが子育ての正解」と考えているようでした。自分自身と向き合うことなく、当然のように「守るべきもの」として、自分に新たなルールを課していたのです。

　ルールがあると迷うことがなくなります。「それでいいよ」と誰かに言ってもらえると安心します。ルールに従って子どもと関われば、理想の親に近づけたり、思い描いているライフスタイルが実現するかもしれません。

　しかし、ルールを守ることに執着してしまうと、結局生きづらさからは抜け出せません。

「何があってもルールを守るべき」と固執すると、かえって子どもの気持ちや自分の気持ちが見えなくなります。ルールを守れない自分を責めて、ルールを守れない子どもを怒鳴りつける。「自分を優先していい」が「自分を優先しなければいけない」になり、「子どもの甘えにはこたえる」が「子どもの甘えにはこたえなければならない」に。

　それではこれまでと同じです。自由になるためにしたことが、皮肉にもあなた自身やお子さんを縛りつける鎖になります。そんなルールは、もはやあなたには必要ありません。自分を苦しめるルールなんていらないのです。

本書で紹介してきた52の提案の中には、あなたに合うものもあれば合わないものもあるでしょう。

　そんな中で「やってみよう」と思ったものがあっても一歩踏み出せないときは、本書で解説した通り、そこに何らかの心の傷がある可能性があります。自分が傷つかないように、自分を守るために、行動しないという選択をしているのかもしれません。

　本の通りにできない自分を責める必要はありません。そのようなときは、無理して行動しようとするのではなく、自分の心を感じましょう。

　自分の傷と向き合い、痛みを言葉にするのです。本当の自分が望んでいることを、認めるのです（※心身が弱っているときは、傷と向き合わずに休みをとってください）。

　この本では、親と子を縛ってしまうルールの裏にある、親自身が抱えている幼少期の心の傷やそれに伴う気持ちをできるだけ言葉にしました。

　本書を読む中で、「これはまさに自分のことだ」と感じて胸が苦しくなったかもしれません。「なぜ自分の親は私にあんなことを言ったの？」と幼少期のつらかった経験を思い出して、親への憎しみが湧いてきたかもしれません。

　でも、それは傷を癒すための正常なプロセスです。

「何がこんなに自分を苦しめているのか」。その根源を自分の言葉で理解して、自分の痛みを認めて、自分の言葉で語れるようになることで、傷がやわらいでいきます。

　自分を縛る鎖がゆるめば、がんばらなくてもラクに進めるようになるのです。おだやかな気持ちで子どもと関われるようになる

のです。自由に生きられるのです。

あなたにとって、「自由に生きる」とはどんなものですか？
苫野一徳さんが著書『「自由」はいかに可能か』で紹介されていたことが、まさに僕がずっと言葉にしたかった「自由の本質」です。最後に紹介させてください。

「砕いていうなら、自由とは諸規定性（自分の欲望／他者の存在／社会的制約）を自覚した上で、できるだけ納得して、さらにできるなら満足して、『生きたいように生きられている』という実感のことといっていい」

この社会で生きていると、自分の思い通りにいかないことも、やりたいようにできないこともあるでしょう。
当たり前ですが、食べたいからといってコンビニでお金を払わずにおにぎりを食べたら捕まってしまうし、夜遅く大きな声で「愛は勝つ」を歌うと妻に怒られてしまいます（こちらは経験済み）。
このようにいろいろな制限がある中で、できるだけ自分が納得できる選択をしたい。自分が好きなことを好きなようにやっていきたい。生きたいように生きていると実感しながら毎日を楽しく過ごしたい。
それがつまり、僕にとって「自由に生きる」ということです。
あなたはどうでしょう？
あなた自身が、そしてあなたのお子さんが、自由に生きられるようにと願いを込めてこの本を書きました。

そのルールは、あなたと子どもを自由にするものですか？

　今一度、自分に問いかけて、自分でルールを選び取りましょう。

　いつだってあなたが選べる。あなたが決められる。いや、あなたにしか決められないのです。

　考えを変えてもいいし、変わらなくてもいい。あなたが納得できるやり方をあなたのために選びましょう。あなたは自由に生きる力を持っている。

　ここまで育ててくれた父と母へ。この本を出版することを受け入れてくれてありがとう。目立ちたがり屋でわがままで反抗ばかりしていた僕は、決して育てやすい子ではなかったと思います。

　あなた方が、精一杯愛情を注ぎ、本気で向き合ってくれたおかげで、今の僕がいます。こっちは幸せにやってるから、僕のことを気にせず、自由に生きてね。

　いつもあたたかく応援してくれる妻のご両親。

　参考図書もたくさん紹介してくださったおかげで、足りない知識を補うことができ完成にまでたどり着けました。ありがとうございました。

　そして、いつも大事なことをごまかさずに自分の言葉で伝えてくれる妻の優芽さん。

　この10年間、あなたと対話を重ねてきたおかげで「互いの自由を尊重しながら、生きたいように生きる」という意味を生活の中

で実感できるようになってきました。本当にありがとう。

　最後になりますが、ここまで読んでくれたあなたの心が少しでも軽くなっていれば、それ以上にうれしいことはありません。インスタグラム（@mr.okachi）でほぼ毎日ライブをしているので、「おかっち、本を読んだよ〜！」って気軽に遊びにきてください。SNS でのご感想やご意見の投稿もお待ちしております（大歓迎です）。

　I am a star. You are a star.　自ら輝けば、世界は輝く。

　またどこかで会える日を楽しみにしております。

　　　　　熊野古道の天空の宿にて　　**岡崎大輔**（ミスターおかっち）

●参考文献

・アンジェリン・ミラー『何がまちがっていたの──「愛」で支配するひと・イネイブラー』ヘルスワーク協会

・エリック・バーン『エリック・バーン 人生脚本のすべて 人の運命の心理学──「こんにちは」の後に、あなたは何と言いますか?』星和書店

・クラウディア・ブラック『子どもを生きればおとなになれる──「インナーアダルト」の育て方』アスク・ヒューマン・ケア

・ジュリア・キャメロン『新版 ずっとやりたかったことを、やりなさい。』サンマーク出版

・Poche『あなたはもう、自分のために生きていい』ダイヤモンド社

・岡崎大輔『「やり抜く子」と「投げ出す子」の習慣』明日香出版社

・国重浩一(著)/日本キャリア開発研究センター(編集協力)『ナラティブ・セラピー・ワークショップ Book I:基礎知識と背景概念を知る』北大路書房

・苫野一徳『「自由」はいかに可能か 社会構想のための哲学』NHK出版

・斉藤学『「自分のために生きていける」ということ』大和書房(だいわ文庫)

・斉藤学『すべての罪悪感は無用です』扶桑社

・坪田信貴『「人に迷惑をかけるな」と言ってはいけない』SBクリエイティブ(SB新書)

・西尾和美『アダルト・チルドレン 癒しのワークブック──本当の自分を取り戻す16の方法』学陽書房

・宮坂道夫『対話と承認のケア:ナラティヴが生み出す世界』医学書院

●参考webサイト

・心理カウンセラー【公認心理士】橋本翔太の人生リノベーション!(YouTube)
・THE FIRST TEE web https://firsttee.org/

3つの読者特典をプレゼント

公式LINEにご登録いただくと、3つの特典を受け取れます!

特典❶

親も子もラクになる ゆるめる子育て　講演動画

特典❷

本書に掲載していない幻の原稿

特典❸

子どもを自立させる親の関わり方一覧表 (PDF)

公式LINEは、こちらから
ご登録ください!

※特典の配布は予告なく終了することがあります。

岡崎大輔 (ミスターおかっち)
Instagram

@mr.okachi

著者

岡崎大輔（おかざき・だいすけ）

ライフスキルコーチ／人間力を育てる学校 PETERSOX 代表

1980 年大阪生まれ。同志社大学法学部を卒業後、外資系製薬会社に勤務。うつ病の薬の情報提供をする中で、「うつ病をなくすためには社会に出るまでのライフスキル教育」が大切だと考え、30 歳の時、マサチューセッツ州スプリングフィールド大学アスレチックカウンセリング修士課程に留学。在学中はライフスキル教育を軸にしたコーチングを学び、ハーバード大学やオリンピック選手の育成機関でライフスキルトレーニングを実施し、教育学修士号を取得。卒業後、世界最大級のライフスキル教育プログラムを展開するファーストティーのサンフランシスコ支部で、ライフスキルコーチとして 3000 人以上の子どもに教育プログラムを提供し、ファーストティーコーチ優秀賞を受賞。2014 年に和歌山県で PETERSOX を立ち上げ、「いつしも、どこしも、自分らしく輝ける社会をつくる」をビジョンに掲げ、1 万人以上の子どもにライフスキル教育を提供するほか、大人向けには「生き方をつくるコーチングセッション」「子育て講演会」「ラジオ番組（Voicy）」を通して、本来の自分を発揮できる生き方や子どもとの関わり方を実践するための支援をしている。2019 年に地域で活躍している 40 歳以下の若者が選ばれる、「JCI JAPAN TOYP 2019（通称：青年版国民栄誉賞）」にて、会頭特別賞を受賞。著書に、『「やり抜く子」と「投げ出す子」の習慣』（明日香出版社）がある。

[LINE]　　　[Instagram]

親も子もラクになる　ゆるめる子育て

2023 年 7 月 29 日 初版発行

著者	岡崎大輔
発行者	石野栄一
発行	明日香出版社
	〒 112-0005 東京都文京区水道 2-11-5
	電話 03-5395-7650
	https://www.asuka-g.co.jp
デザイン	喜來詩織（エントツ）
イラスト	ナカニシヒカル
組版・図版	吉崎広明（ベルソグラフィック）
校正	共同制作社
印刷・製本	シナノ印刷株式会社